教養を磨く

宇宙論、歴史観から、話術、人間力まで

田坂広志

光文社新書

はじめに　二一世紀に求められる「新たな教養」とは何か

筆者は、二三年間、社会人向けの経営大学院で教鞭を執《と》ってきたが、その講義の一つが、「ネオ・リベラルアーツ論」と名付けたものである。

では、なぜ、筆者は、「ネオ・リベラルアーツ」（新たな教養）というテーマの講義を開講してきたのか。

それは、これからの時代には、これまでの時代に論じられてきた「教養」とは全く異なった「新たな教養」が求められると考えているからである。

これまで、世の中で語られてきた「教養」とは、概《おおむ》ね、

書物を通じて学んだ、
様々な専門分野の、
該博《がいはく》な知識

といった次元で理解されてきた。

そのため、これまでの「教養論」は、しばしば、「歴史学を学べ」「宗教学を学べ」「政治学を学べ」「経済学を学べ」「心理学を学べ」「人間学を学べ」といった形で、幅広いジャンルでの読書を勧め、様々な専門知識を学ぶことを勧めてきた。

しかし、真の「教養」とは、本来、多くの本を読み、様々な知識を学ぶことではなく、そうした読書と知識を通じて、「人間としての生き方」を学び、実践することである。

だが、残念ながら、現代の「教養論」においては、しばしば、そうした「生き方」という大切な視点が、見失われてしまっている。

それが、筆者が、社会人大学院で「ネオ・リベラルアーツ論」（新たな教養論）を開講した一つの理由であるが、「新たな」と銘打っていることには、もう一つの理由がある。

それは、現代においては、この「教養」ということの前提条件、「書物を通じて学んだ、様々な専門分野の、該博な知識」に、大きな「三つの変化」が起きているからである。

では、その「三つの変化」とは、何か。

第一は、「該博な知識」に関する時代の変化である。

端的に言えば、現代では、「該博な知識」を持っていることの価値が、大きく低下している。

なぜなら、現在、急速に進展する人工知能（ＡＩ）革命の結果、いまでは、ChatGPTなどの対話型ＡＩに簡単な質問をするだけで、世界中のウェブから集められた専門知識に基づき、分かりやすく説明してくれるからである。

すなわち、「該博な知識」だけなら、もはや、人間はＡＩには絶対に敵《かな》わない時代を迎えているのであり、ＡＩ革命が、「該博な知識」を持つことの価値を、大きく低下させてしまったのである。そして、その結果、かつては、人材に対する「褒《ほ》め言葉」であった、「博識」や「物知り」「博覧強記」といった言葉が、いまでは「死語」になってしまったのである。

第二は、「書物を通じて」に関する時代の変化である。

近年、様々なメディアの発達と多様化によって、人々が情報や知識を手に入れる方法が、劇的に変わってきた。その結果、「活字メディア」である書物よりも、「マルチメディア」である映像や動画を通じて情報や知識を手に入れる人々が増えているのである。特に、若い世代は、YouTubeやTikTokなどで情報や知識を手に入れることが主流となっており、その結果、書物を読む人が少なくなっている。

そして、情報や知識を手に入れるメディアとして、映像や動画が主流になることによって、大きく変わったことがある。それは、映像や動画は、マルチメディアであるため、活字メディアに比べて、視聴覚に訴える迫力ある「疑似体験」や、強く印象に残る「仮想体験」ができることである。このこともまた、「教養」の意味を、これから大きく変えていく。

第三は、「様々な専門分野」に関する時代の変化である。

これまでは、「教養」を身につけるために、難しい専門分野の本でも、努力して読みこなし、様々な思想や世界観、理論や概念を学ぶことが大切とされてきた。

しかし、現代においては、専門分野の難しい本を読まなくとも、テレビの教養番組やドキュメンタリー映画、さらには、YouTubeの動画などを通じ、専門分野の学びができるようになっている。ときに、漫画やアニメを通じても「深い学び」ができるようになっている。

実際、最近では、身近なＳＦ小説や娯楽小説、漫画やアニメでも、人類の歴史や未来、政治や経済の矛盾、ＤＶやＬＧＢＴＱの問題などを考えさせるものも生まれており、誰にもなじみやすい表現と印象的な物語を通じて、深い思想や世界観を伝えるものが増えている。

これらが、現代において、「教養」の前提条件に生じている大きな「三つの変化」であるが、その結果、この「三つの変化」が、これから、「教養」の在り方に、次の「三つの深化」を求めるようになると、筆者は考えている。

第一の深化は、「専門の知」から「生態系の知」への深化である。

先述のように、現代は、ＡＩ革命の結果、個別の専門知識だけなら、ＡＩが、世界中の最先端の知識を、分かりやすく教えてくれる時代になった。

その結果、人間の価値は、様々な専門知識を持っていることではなくなる。

では、「知識」が人間の価値でなくなるのであれば、何が価値となるのか。

「知の生態系」である。

すなわち、「一つのテーマ」「一つの問題」「一つの問い」を中心として、様々な知識と叡智《えいち》が結びついた個性的な「知の生態系」を持っていること、自身の知的成長とともに成長し続ける「知の生態系」を持っていることが、その人間の価値になっていく。

実際、昔から、分野を問わず、優れたプロフェッショナルは、個別の断片的な「専門知識」を持っているのではなく、そのプロフェッショナルなりの「個性的な思想体系」を持っており、それが「知の生態系」と呼ぶべきものによって支えられている。

それゆえ、これからの時代、人間にしかできない「最も高度な知的営み」は、心に「深い問い」を抱き、その問いの周りに、様々な知識と叡智が集まり、進化し続ける「知の生態系」を生み出すことである。

では、「深い問い」とは、何か。

それは、例えば、「人間とは何か」「組織とは何か」「社会とは何か」「生命とは何か」「心とは何か」「幸せとは何か」「死とは何か」「宇宙はなぜ存在するのか」「地球とは奇跡の惑星か」「自然と人間の関係は何か」といった問いであり、容易に答えの得られない問い、ときに「答えの無い問い」と呼ぶべき問いである。

そして、もし我々が、そうした「深い問い」を心に抱くならば、そして、その問いを問い続けるならば、そこには、自然に、知識と叡智が結びついた「知の生態系」が生まれてくる。

このように、これからの時代、「教養」というものには、「専門の知」から「生態系の知」への深化が起こるが、これが「新たな教養」の第一の意味に他ならない。

第二の深化は、「言語の知」から「体験の知」への深化である。

先述のように、現代は、新聞や雑誌、書籍などの「活字メディア」よりも、映画やテレビ、動画などの「映像メディア」を通じて、多くの人々が知識を学ぶ時代になった。

この変化の大きな意味は、映画やテレビや動画は、「実際の体験」ではないが、マルチメディアによる迫力ある「疑似体験」や「仮想体験」が得られるものであり、それは、活字メディアよりも、圧倒的に視聴覚に訴えてくるものである。

例えば、ベトナム戦争の真実について学びたいならば、書物で「ベトナム戦争の記録」を読んでも、「単なる知識」としてのベトナム戦争しか理解できないが、もし、NHKの映像ドキュメンタリー『映像の世紀』や映画『プラトーン』を観てベトナム戦争を学ぶならば、それは、「疑似体験」を通じての、感覚的・身体的な次元での深い学びになるだろう。

そして、漫画やアニメも、戦争の真実を、ある種の「疑似体験」として、共感とともに、深く伝えてくる。漫画『はだしのゲン』や『ペリリュー』、アニメ『あの日、僕らは戦場で』などは、その一例であろう。

このように、これからの時代、「教養」というものには、「言語の知」から「体験の知」への深化が起こるが、これが「新たな教養」の第二の意味に他ならない。


第三の深化は、「理論の知」から「物語の知」への深化である。

先述のように、「言語の知」から「体験の知」への深化が進むにつれ、例えば「人間とは何か」「組織とは何か」「社会とは何か」を学ぶとき、単なる抽象化された「理論」として学ぶよりも、具体的な生きた「エピソード」や「物語」から学ぶことが主流になっていくだろう。

もとより、昔から、「教養」を身につけるために、古典的な小説や文学から学ぶことが勧められたのは、そうした意味もあったが、現代においては、活字メディアとしての小説や文学を読む人々は減っている。しかし、一方で、具体的な生きた「エピソード」や「物語」を伝えるメディアとしては、小説や文学に加え、映画や映像、テレビや動画、漫画やアニメなど、むしろ多様なメディアが存在している。

例えば、「人間学」を学ぼうとしても、書物で儒学の古典や宗教書を読み、抽象的な思想や教養を学んだだけでは、しばしば「論語読みの、論語知らず」という状況に陥ってしまう。むしろ、真に「人間学」を学びたいのであれば、優れた人物の印象的な「エピソード」が書かれた自伝やルポルタージュを読むことや、小説や映画、漫画やアニメを通じて、人間心理を生々しく描いた「物語」を読み、観ることこそが、「人間学」を学ぶ良い方法となる。

なぜなら、具体的な生きた「エピソード」や「物語」を読み、観ることは、単なる抽象的な思想や教養の学びとは異なり、自分自身の人生を振り返り、仕事を振り返り、マネジメントを振り返ることができ、自身の行動や生き方を照らし出し、自身の人生体験と重ね合わせて、深く学べるからである。

このように、これからの時代、「教養」というものには、「理論の知」から「物語の知」への深化が起こるが、これが「新たな教養」の第三の意味に他ならない。

以上、「新たな教養」の三つの意味について述べてきたが、『教養を磨く』という書名の本書は、この「新たな教養」の考えに基づき、次のスタイルで、読者に「教養」を深めてもらうことを意図したものである。

第一に、本書は、筆者自身の抱く様々な「深い問い」を中心に、様々な知識と叡智を縦横に結びつけ、それを「随想」（エッセイ）の形で語っている。［生態系の知］

第二に、本書は、専門書だけでなく、映画や小説、ときに漫画の、様々な場面を紹介し、その場面の「疑似体験」を通じて、読者に様々な学びと気づきを提供している。［体験の知］

第三に、本書は、筆者自身の体験やエピソードの紹介を通じて、「人間とは何か」「組織とは何か」「マネジメントとは何か」について、様々な形で洞察を語っている。［物語の知］

そして、本書は、読者に、このスタイルでの学びを提供するため、敢《あ》えて、七五篇の随想を、テーマやジャンルごとに分類していない。

逆に、「人類の未来」が語られた後、「話術の極意」の話になり、「宗教思想の神髄」が語られた後、「戦略思考の要諦」の話になり、「最新の宇宙論」が語られた後、「人間成長の技法」の話になるなど、読者は、その縦横なテーマの展開に、驚かれ、楽しまれるだろう。

まずは、この後の「目次」を読んで頂きたい、それだけで、筆者の語る「新たな教養」とは何かを、理解されるだろう。

そして、本書を、毎日一話、目次の順に読まれるならば、読み終わったとき、読者の知的世界が広がっていることに気がつかれるだろう。そして、様々なテーマについて、深い問いを抱き、思索が深まっていることに気がつかれるだろう。

ちなみに、筆者は、大学院の講義も、同じスタイルで行っている。

そのため、様々なテーマを縦横に語る筆者の講義は、学生諸氏から、「名刺交換から宇宙論まで」と呼ばれている。

「宇宙論、歴史観から、話術、人間力まで」という副題の通り、本書を、縦横に味わって頂ければ幸いである。

教養を磨く

―宇宙論、歴史観から、話術、人間力まで―

目次

第一部

哲学の究極の問い

哲学の究極の問い

昨今、世の中に広がる「教養ブーム」の中で、「哲学」についても、多くの人々の興味と関心が集まっている。

では、「哲学」というものに「究極の問い」があるとすれば、それは、いかなる問いか。

それは、次の二つの問いであると言われている。

なぜ、世界は、ここにあるのか。

なぜ、自分は、ここにいるのか。

これは、哲学の世界では、「存在論」と呼ばれる分野における問いであるが、そうした難しい講釈を述べるまでもなく、これは、実は、誰もが、心の奥深くに抱いている問いであろう。

それゆえ、この問いは、人類の歴史において、多くの哲学者たちを深い思弁に向かわせた問いでもあるが、もし、この問いに対する答えを「科学」に求めるならば、我々は、悠久の旅に出なければならない。一三八億年の過去に遡る旅である。

では、一三八億年前、そこには何があったのか。


何も無かった。


そこには「真空」しか無かった。

それが、現代科学が、我々に教える答えである。

すなわち、現代の最先端物理学が「量子真空」(Quantum Vacuum)と呼ぶもの。

一三八億年前、そこには、完全な無の世界、量子真空しか存在しなかった。

しかし、その量子真空が突如、ゆらぎを生じ、急激な膨張を起こし、まず「インフレーション宇宙」と呼ばれるものを生み出した。そして、その直後に起こったのが、「ビッグバン」。

その大爆発によって、当初、この宇宙は光子、すなわち光で満たされた。そして、宇宙が冷えていくに従い、最も軽い元素、水素が形成された。

その水素が、何億年もの歳月をかけて集まり、生まれたものが、夜空に輝く星々、「恒星」。

この恒星の中では、核融合により、様々な重元素が生み出されたが、それらの元素は、恒星が寿命を終え、超新星となって爆発することによって、再び宇宙へと飛び散っていった。

そして、その恒星の周りに形成されたものが、無数の「惑星」。

我々が生きるこの地球も、太陽という恒星の周りに生まれた一つの惑星に他ならない。

しかし、この地球は「奇跡の惑星」。それが、太陽から遠すぎず、近すぎず、最適の距離にあったため、生命が生まれる稀有の環境が与えられた。

それゆえ、四六億年前に誕生した地球は、最初の一〇億年の間に、原始の生命を生み出し、それが、さらに数十億年の歳月をかけ、生命進化の旅路を辿った。

原初的な生命から、魚類や両生類へ、爬虫類や鳥類へ、哺乳類や霊長類へ、そして、高度な精神を持った人類へ。

我々は、その一三八億年の旅路の果てに、いま、ここにいる。

そして、その壮大な進化の旅路を導いたものは、この宇宙の「自己組織化」の営みに他ならない。

真空から生まれた宇宙が、物質を生み出し、生命を生み出し、精神を生み出していった。

それは、この宇宙が、次々と複雑化を遂げていくプロセスであり、自己組織化を通じて進化していくプロセスでもあった。

それが、現代の最先端科学が教える「存在論の二つの問い」への答えであるが、その答えを知っても、なお、我々の心には、さらに深い問いが残る。

では、なぜ、量子真空はゆらぎを起こしたのか。
なぜ、量子真空のままであり続けなかったのか。
なぜ、宇宙は、一三八億年の遥かなる旅に出たのか。
この悠久の旅は、いったい、どこに向かうのか。
そして、この旅の中で、宇宙の胎内に生まれた、
我々人間の生命には、いかなる意味があるのか。

しかし、これらの問いは「答えの無い問い」。
それゆえ、存在論の問いは「永遠の問い」。
では、なぜ我々は、この問いを、問い続けるのか。

なぜなら、「知性」とは、「答えの無い問い」を問う力だからである。
答えが得られぬと分かっていて、なお、永遠の問いを問い続ける力だからである。
もし、我々が、真に「教養」を身につけ、「哲学」を学びたいと思うならば、
まず何よりも、その「知性」をこそ、身につけなければならない。

「運命」とは何か

我々の人生には、果たして「運命」というものが存在するのか。

人生は、予め、運命によって定まっているのか、それとも、運命など存在しないのか。

それは、誰もが一度は考えたことのある問いであろう。

この「運命」というものについて考えるとき、必ず心に浮かぶ映画がある。

それは、巨匠デヴィッド・リーン監督によって一九六二年に制作された映画、『アラビアのロレンス』であるが、この中で、ピーター・オトゥール演じる英雄ロレンスが、アラビア人兵士の部隊を率い、灼熱の砂漠を越えて進軍する場面がある。

このとき、兵士の一人が疲労困憊のために落馬し、砂漠に一人取り残されてしまう。

部隊が砂漠を渡り終えたとき、そのことに気がついたロレンスは、その兵士を助けに行こうと、疲れ果てた体に鞭打ち、単身、灼熱の砂漠に引き返そうとする。

そのとき、アラビア人の年老いた兵士の一人が、それを止めようと、ロレンスに言う。

It is written.
彼が砂漠で死ぬことは、運命だ。
そのことは、コーランに、すでに書かれている。

しかし、その言葉に耳を貸さず、ロレンスは砂漠に引き返し、極限の状況の中で、その兵士を救い出すことに成功する。
そして、部隊に戻ってきたロレンスは、精根尽きて倒れ込む前に、静かに、しかし、力強く語る。

Nothing is written.
何も書かれてはいない。

これは、この映画の中でも最も深い感動を呼ぶ場面であるが、このロレンスの言葉は、観客の心に、「未来は定まってはいない。運命など存在しない」という思いを湧き上がらせる。
しかし、この映画の後半、突発した部族同士の争いを仲裁するために、ロレンスは、問題を起こした兵士を自らの手で処刑せざるを得なくなる。

だが、捕らえられたその兵士の頭を上げさせると、それは、かつてロレンスが命を懸けて灼熱の砂漠の中から救い出した兵士であった。

ロレンスは苦渋の中で兵士を銃殺するが、この場面を観るとき、観客は、ときに人生というものが遭遇する痛苦なアイロニーを感じ、心の奥深くに「この兵士を救うことも、そして、殺すことも、ロレンスの運命であったのか…」という思いを抱く。

それがリーン監督の深い意図であったかは知るべくもないが、この映画は、「運命」というものに対する我々の心の在り方を、象徴的に教えてくれる。


我々は、希望を抱いて未来を見つめるとき、人生に対して肯定的であればあるほど、「未来は定まっていない。運命など存在しない。自らの力で未来を切り拓く」という思いを抱く。

しかし、一方、我々は、すでに起こってしまった過去の出来事を、悔いを抱いて見つめるとき、それが受け容れがたい痛苦なものであればあるほど、「あの出来事は、自分の人生に与えられた運命であったのか…」との思いを抱く。

それは、人類の歴史の中で、古今東西の多くの物語や文学において語られてきた「運命を受け容れる」という人間の心の姿に他ならない。

では、この「運命を受け容れる」という言葉の真の意味は、何か。

それは、決して、「諦めて仕方なく認める」という否定的な意味ではない。
かつて、第二次世界大戦において、ナチスの強制収容所に送られ、家族を殺され、自身も生死の淵から奇跡的に生還した、実存主義心理学者、ヴィクトール・フランクル。
彼が、その過酷な人生を振り返り、なお語った言葉が、その真の意味を教えてくれる。

「人生にイエスと言う」

いかに逆境に満ちた人生が与えられようとも、
いかに苦労の多い人生が与えられようとも、
それでも、それは、ただ一度かぎりの、かけがえの無い　自分の人生。

そう思い定め、その人生を慈しみ、
与えられた逆境と苦労を魂の成長の糧として歩むとき、
「運命」という言葉は、いつか、
「天命」という言葉に変わっていくのであろう。

リーダーの話術の神髄

新年の年賀交換会の時期を迎えると、必ず思い出す情景がある。

それは、一九八二年一月、筆者が新入社員の頃、勤めていた企業の本社ビルで行われた年賀交換会に出席したときのこと。恒例の社長の年頭訓示を、本社の全社員が聞くという会合での情景である。

しかし、この年の年賀交換会は、社員にとって、いささか気持ちの重い場であった。なぜなら、この企業の業績は、業界全体の不況の影響を受け、全社を挙げての必死の努力にもかかわらず、低迷を続けていたからである。

従って、全社員、この新年の社長の訓示は、厳しい雰囲気の檄が飛ぶことを覚悟していた。

そして、その重い雰囲気のなか、いよいよ社長が登壇。どのような厳しい訓示となるか、その場の数百名の社員が、緊張した面持ちで待っていた。

ところが、この社長、壇上に登るなり、全社員を見渡すと、破顔一笑、何と言ったか。

「諸君！　今年も愉快にやろうじゃないか！

わっ、はっ、はっ、はっ！」


大声で、その一言を言い切ると、豪快な笑い声を残して、さっさと降壇した。

一瞬、唖然とする経営幹部。呆気にとられる社員。

しかし、すぐに会場は、笑い声の渦になった。

そして、その瞬間、それまでの重苦しい雰囲気は、どこかへ吹き飛んでしまった。


この情景が、何十年も経ったいまも、心に残っている。なぜなら、それは、この社長が、リーダーとしての見事な力量を示した瞬間だったからである。


第一に、この社長は、並外れた「胆力」を持っていた。

この社長、この重要な場面で、「腹」が据わっており、会場にいる全社員を完全に呑み込んでいた。居並ぶ経営幹部と全社員が注視するなか、たった一言で、新年の大切な訓示を済ませることなど、いくら社長といえども、誰もが、できるものではない。

しかし、ひとたび「腹」を据え、「胆力」でその場を呑み込んだならば、言葉が伝わる。

その場においてリーダーの語る言葉は、メンバーの「腹」に、真っ直ぐに伝わる。

だが、この「胆力」という言葉、近年、政治や経営の世界では、死語になりつつある言葉でもある。


第二に、この社長は、「無意識」に処する力を持っていた。

まず、この年賀交換会において、この社長、集まった社員を見ただけで、その「無意識」の世界を感じ取った。社員の表面意識は、「頑張らなければ」と思っている。しかし、その無意識は、「大丈夫だろうか」との不安で暗くなっている。

そこで、この社長は、たった一言を発するだけで、その社員の「無意識」に働きかけ、それを明るく前向きなものに変えた。ただ一言で、社員の気持ちを陽転させた。これも見事な力量。

「無意識」に処する力である。


第三に、この社長、「無言」で教える力を持っていた。

実は、この場面で、この社長は、「無言のメッセージ」を発していた。

実際にその場で発した「言葉のメッセージ」は、ごく短いものであったが、経営幹部と管理職に対して、力強い「無言のメッセージ」を発していた。

それは、「後姿」によるメッセージ。そして、経営の世界では、この「後姿」によるメッセージは、ときに、極めて強力なメッセージとなる。

では、この社長は、経営幹部と管理職に対して、その「後姿」で何を伝えたか。

苦境において、リーダーたるもの、どうあるべきか。

そのことを伝えた。

おそらく、この「無言のメッセージ」を受け止めた経営幹部や管理職は、この後、それぞれの部署に戻り、腹を据えて部下に正対し、明るく前向きな姿勢で語りかけたであろう。

この社長は、腹の据わった楽天的な自身の姿を通じて、居並ぶ経営幹部と管理職に対し、「無言」で大切なことを教えた。

そして、筆者は、このとき、この社長の後姿から、「話術の神髄」とは何かを学んだ。

それは、実は、「言葉」を超えた所にある。

そのことに気がついたとき、我々の話術は、想像を超えた高みに向かっていく。

二一世紀の文学の新たな役割

鉄血宰相と称せられたプロイセン・ドイツの政治家、オットー・フォン・ビスマルクは、かつて、次の言葉を遺している。

「愚者は、経験に学び、賢者は、歴史に学ぶ」

この言葉の原意は、愚者は、自分独りの限られた経験で物事を考えるが、賢者は、他の多くの人々の経験から学ぶというものであり、「他の多くの人々の経験」が「歴史」と意訳されたものである。

この言葉に象徴されるように、世の中には、「広く人類の過去の歴史に学べば、人類の未来についての洞察が得られる」という思想があり、それは、これまで多くの哲学者や思想家、歴史学者や未来学者、さらには、政治学、経済学、社会学などの社会科学者が依拠してきた基本思想でもある。

言葉を換えれば、社会科学とは、無数の人々の集まりである「社会」の過去の変化や発展、進歩や進化の姿を、歴史のスケールやマクロな視点から観察、分析、考察し、そこに何らかの「法則」や「理論」を見出し、その法則や理論から人類社会の未来の変化を予見し、それに、いかに処すべきかを洞察する営みであるとも言える。

例えば、経済学が語る「コンドラチェフの波」などの景気循環の法則や、政治学が語る「貧しい国で生まれる独裁体制は、経済が豊かになるにつれて民主主義に移行する」という法則、社会学が語る「発展途上国には、資本主義の導入に伴って、欧米的な文化が広がっていく」という理論など、これまでも、多くの法則や理論が提唱されてきた。

こうした「人類社会の過去の経験に学ぶことによって、その未来が予見できる」という思想は、混沌とした現実の中で方向を見失い、不確実な未来に不安を覚える人々にとっては、希望の光となる思想であり、社会科学と呼ばれる分野が、その光を見出す役割を担ってきたことは、論を俟《ま》たない。

しかし、一方、近年の科学技術の急激な発達がもたらす現実を見ていると、こうした社会科学的な視点、「人類社会の過去の経験に学べば、その未来が予見できる」という思想が、現実の変化に追いつけず、大きな限界に突き当たっていることを感じる。

例えば、現代では、ネット革命によって、誰もが手軽に世界中に情報を発信できるようになり、地球の片隅の一人の人間の発するメッセージが、ときに、世界全体に影響を与え、大きな変化を引き起こす現象も生じるが、こうした「地球規模のバタフライ効果」は、人類の歴史の中で、経験が無い。

また、まもなく、高度な知的労働さえも、その大半を人工知能が代替する社会が到来するが、こうした社会も、人類は過去に経験したことがない。

そして、人工知能は、亡くなった人物の書簡や日記、映像や音声などの膨大な記録を学習することによって、その人物のように思索し、その人物のような姿と声で家族や友人と対話をすることもできるようになるが、こうした状況も、人類は未経験である。

さらに、これからのクローン技術の発達によって、技術的には、人間は、自分のクローン人間さえ持つこともできるようになるが、そうした状況で何が起こるかも、人類は全く経験していない。

こうした「過去の経験」というものの限界を考えるとき、深い示唆を与えるのが、ノーベル文学賞を受賞した日系英国人作家、カズオ・イシグロの小説、『わたしを離さないで』（Never Let Me Go）であろう。

これは、臓器提供者として育てられたクローン人間の子供たちの物語であり、若くして死ぬことが宿命づけられた人間の悲哀を描いた作品であるが、もし、クローン人間の医療への利用が現実になったとき、そこで何が起こるかを、想像力の極みにおいて描いた、広義のＳＦ（空想科学）文学である。

同様に、アーサー・Ｃ・クラークのＳＦ文学『二〇〇一年宇宙の旅』は、人工知能が高度に発達し、自我を獲得し、人間への反乱を起こしたとき何が起こるのかを描き、スタニスワフ・レムの『ソラリスの陽のもとに』は、自分の記憶の中にある故人が、現実に目の前に現れてきたとき、我々の心に何が起こるのかを、想像力を駆使して描いた物語である。

このように、過去の歴史が経験したことのない状況に人類が直面していく時代において、我々が未来を知るためには、「経験」に依拠した社会科学には限界があり、「想像」に依拠した文学、特にＳＦ文学が、大きな役割を果たすことになるだろう。

近年、「文学は、力を失った」という議論があるが、決してそうではない。

「経験」に学ぶだけでは未来が見えない時代。

「想像」の力を飛翔させる文学には、二一世紀、新たな役割がある。

心の「エゴ」に処する力

筆者は、国内、海外から七千名を超える経営者やリーダーが集まる私塾「田坂塾」を主宰しているが、この場で、多くの塾生の方々から、人間関係についての相談を受ける。

例えば、「部下や社員の心が離れてしまった」「上司と意見が合わない」「職場で同僚とぶつかってしまう」などの悩みであるが、そうした人間関係の問題を解決するためには、操作主義的な「対人術」は逆効果であり、かえって、人間関係を悪化させることさえある。

人間関係の問題を真に解決するために求められるのは、やはり、人間の心の「エゴ」に処する力であり、それは、究極、「二つの力」である。

第一は、「相手のエゴに処する力」であるが、その力を身につけるためには、まず、「相手のエゴの思いや叫び」を理解する力を身につけなければならない。

なぜなら、人間関係が壊れるのは、ほとんどの場合「自分のエゴの視点」を「正しい基準」であると思い込み、相手の言動を「間違っている」と批判し、非難し、ときに、嫌悪する状況に陥ってしまうからである。

しかし、もし我々が、次のような視点で相手を見つめることができるならば、相手の姿は、全く違って見えてくる。

「たとえ、どのような姿を示していても、相手には相手の、必死の思いや心の叫びがある」

「自分も含め、誰もが未熟さや欠点を抱えており、その未熟さや欠点で、内心、悩んでいる」

「誰もが、心の中に、扱いにくいエゴを抱え、そのエゴに振り回されて、苦しんでいる」

それが、「相手のエゴの思いや叫び」を理解する力に他ならず、この視点の転換ができたとき、不思議なほど、自分の心が変わり始め、相手との関係が好転していく。

しかし、人間関係の問題を真に超えていくためには、この第一の力だけでは、不十分である。

それが、第二の力、「自分のエゴに処する力」であり、この力を、我々は身につけていかなければならない。

ただし、それは、世の中でしばしば安易に語られる、「エゴを捨てる」ことや「我欲を捨てる」ことではない。

なぜなら、我々の心の中の「エゴ」や「我欲」は、生物としての「生存本能」と深く結びついた、極めて強固なものであり、捨てようと思って捨てられるほど、生易しいものではないからである。

それゆえ、「エゴを捨てよう」と思って、エゴを抑圧しても、それは、一時、心の表面から姿を消すだけで、必ず、どこかでまた、鎌首をもたげてくる。

では、その厄介なエゴに、どう処すれば良いのか。

その方法は、昔から、ただ一つであるとされている。

否定も肯定もせず、ただ、静かに見つめる。

実際、自身の心の中のエゴが蠢《うごめ》くとき、叫ぶとき、それを抑圧するのではなく、ただ静かに、「ああ、自分の中で、嫉妬心が動いている」「ああ、心の中で、怒りが湧き上がっている」と見つめるならば、不思議なほど、そのエゴは静まっていく。

逆に、「エゴを捨てよ！」「我欲を捨てよ！」と、無理やりエゴを抑圧すると、しばしば、「自分はエゴを捨てた人間である」と思い込み、自分が一段深い境地に入ったと思い込む、「エゴの自己欺瞞《ぎまん》」や「エゴの巧妙な罠」に陥ってしまう。

深い信仰の道を歩み、多くの信者が周りに集まった、浄土真宗開祖、親鸞ですら、晩年においても「心は蛇蝎《だかつ》のごとくなり」と語っていたことを、我々は、忘れてはならない。

しかし、実は、この扱いにくく、厄介な「エゴ」に処する、もう一つの方法がある。

それは、エゴを「大きく育てる」ことである。

例えば、企業に入社したばかりの新入社員は、当初、「同期の仲間に負けたくない」といった次元で小さなエゴが動く。しかし、人間として成長するにつれ、「この職場の仲間と良い仕事を成し遂げよう」「この会社を世の中に貢献する素晴らしい企業にしよう」「この産業を通じて豊かな日本を実現しよう」「この新技術によって、人類の未来を切り拓こう」といった形で、小さなエゴ「小我」が、徐々に、大きなエゴ「大我」へと成長していく。

もし、我々が、その「大我」への道を歩むならば、いつか、我々は、古来語られる、あの言葉が真実であることに気がつくだろう。

「大我」は「無我」に似たり。

然《しか》り、そこにも、エゴを超えていく、もう一つの道がある。

才能を開花させる技法

自分の中に眠る才能を開花させたい。

それは、誰もが持つ願いであろう。

では、どうすれば才能が開花するのか。

実は、ある「才能」が開花するとは、その人間の中から、その才能に見合った「人格」が現れてくることに他ならない。

こう述べると、驚かれる読者もいるだろうが、実際、世の中では、次のような言葉がよく使われる。

「彼は、性格的に営業には向いていない」

「彼女の几帳面な性格は、経理向きだ」

また、ある新入社員が、未経験の営業の世界に投げ込まれ、苦労しながらも、その能力を身につけてきたとき、我々は、自然に、こう語る。

「彼も、営業マンらしい面構えになってきた」

このように、我々は、一人の人間の「能力」を論じるとき、「能力」と「性格」を一対のものとして論じている。言葉を換えれば、「才能」と「人格」を表裏一体のものとして考えている。

そうであるならば、もし、一つの「才能」を開花させたいと願うならば、我々は、その才能に見合った「人格」を、自分の中に育てていかなければならない。営業ならば、「営業人格」、企画ならば「企画人格」とでも呼ぶべきものである。

では、どうすれば、我々は、自分の中に、「必要な人格」を育てることができるのか。

筆者は、その方法を、『人は、誰もが「多重人格」』という著書で詳しく述べたが、その要点を紹介しておこう。

最も有効な一つの方法は、「私淑」をすることである。

「私淑」とは、自分が身につけたい能力や才能を持っている優れた人物を、心の中で、「この人が自分の師匠だ」と思い定め、その人物から大切な技術や心得を学ぼうとすることである。

では、その「私淑」をすると、何が起こるのか。

「似てくる」のである。ある人物の能力や才能を、本気で学ぼうとすると、自然に、自分の喋り方や仕草、雰囲気が、その人物に似てくるのである。それは、自分の中から、その人物に似た「性格」や「人格」が引き出されてくると言っても良い例えば、ある出版社では、カリスマ的な編集長の下で働く若い編集者たちが、皆、その編集長と同じように、ぼつぼつと喋るようになり、仕草まで似てきたというエピソードがある。

筆者もまた、民間企業で営業の仕事に携わっていた時代、上司の課長が営業の達人であったことから、この上司に私淑し、その技術や心得を深く学ぶことができたが、この修業時代、周りの同僚から、「喋り方が、課長に似てきた」と言われた。

昔から、「学ぶことは、真似ぶこと」と言われてきたが、その本当の意味は、スキルを表面的に真似することではない。その師匠の性格や人格も含め、スキルの奥にあるものを真似ようとすることである。そして、実は、その「真似ぶ」という修業を通じてこそ、我々は、自分の「個性」を見出すのであり、そのとき、自分らしい個性的な「営業人格」や「企画人格」が育ってくるのである。我々は、その逆説も、知っておく必要がある。

しかし、この「人格育成」は、才能開花という意味では、まだ初級の段階であり、その先に、さらに高度な段階がある。

なぜなら、一流の経営者やリーダーは、自分の中に「様々な人格」を持ち、それらを場面と状況に応じて、見事に使い分けているからである。例えば、若手社員に見せる「温かい人格」、経営幹部に見せる「厳しい人格」、トップセールスでの「営業人格」、全社員朝礼で見せる「思想家人格」などである。

されば、我々は、いかにして、そうした「多重人格のマネジメント」とでも呼ぶべき能力を身につけることができるのか。

実は、その最高の方法が、「かばん持ち」である。

筆者は、若手社員の時代に、当時勤めていた会社の専務の「かばん持ち」として、海外出張に何度も随行したが、一日、行動を共にしていると、その専務の中に「辣腕の経営者」や「天性の社交家」という人格、「卓抜な戦略家」や「深い思想家」の人格、さらには、「幅広い趣味人」「敬虔な信仰者」など、幾つもの人格があり、それらを自然に切り替えていく姿を見ることができた。

この専務は、後に、この会社の社長となり、会長になった人物であるが、筆者が、自身の中に幾つもの人格を育て、それを使い分けるという修業を始めたのは、この経験が、一つの契機となった。

「かばん持ち」とは、決して「雑用係」ではない。

それは、一流の人物から「多重人格のマネジメント」を学ぶ、最高の機会に他ならない。

古来、言われる「師匠とは、同じ部屋の空気を吸え」とは、この機微を述べた言葉であろう。

人工知能革命による「学歴社会」の崩壊

現在、世界を席巻している人工知能革命の初期、東京の税理士会から、次のような講演依頼を受け、驚きを覚えるとともに、感銘を受けた。

「これからやってくる人工知能革命によって、我々の業界の仕事は、一〇年以内に、半分が不要になると思っています。そのときに備え、いま、我々税理士が、どのような能力を身につけておかなければならないか、教えて頂きたい」

筆者に対する講演依頼は、未来予測、情報革命、知識社会、企業経営、働き方、生き方など、様々なテーマでの依頼があるが、これほど切実な危機意識で講演を依頼してくる例は、決して多くない。それが、驚きを覚えた理由である。

そして、感銘を受けた理由は、この税理士会が、人工知能革命の脅威を、いち早く予見し、その具体的な対応策を考えていることであった。

いま、世の中では、様々な変化が急激に起こり、その結果、短期間に、一つの産業や市場、業界や事業、職種や仕事が消滅することなど日常茶飯事になっているが、その変化の中で淘汰されてしまうのは、常に、根拠の無い楽観論に浸り、その変化を脅威と思わず、危機感を持たない企業や人材である。

その意味で、強い危機感を持って講演依頼をしてきた、この税理士会の姿勢には、感銘を受けた。

たしかに、その通り。この人工知能革命が進めば、ごく近い将来、税理士や会計士だけでなく、弁護士や司法書士も含め、いわゆる「士（サムライ）業」の仕事の半分は、人工知能に置き換わっていくだろう。

いや、それは「士業」だけではない。企業や官庁内の仕事であっても、「知識の記憶力」と「論理的思考力」だけで行える仕事を担う「知的職業」は、その大半が、人工知能によって置き換わっていく。専門的知識と論理的思考による判断では、人工知能は人間に比べ、圧倒的に優れた力を発揮するからだ。

そして、この士業と知的職業の危機は、そのまま、現在の「学歴社会」の崩壊を意味している。

なぜなら、現行の偏差値教育に基づく学歴社会とは、知識の記憶力と論理的思考力の優れた人間が評価され、「高学歴」になっていく社会だからである。

例えば、物理や数学で問われる論理的思考力と、歴史科目や化学、生物などで求められる知識の記憶力に優れていれば、東京大学にも容易に入学できるが、その二つの能力だけに安住している「高学歴人材」は、人工知能革命によって、必ず淘汰されてしまうだろう。

しかし、それにもかかわらず、毎年、春になると、東大合格者数ランキングがメディアに載り、その数を誇る進学校に注目が集まっている。

その背景には、「東大卒という資格を得れば、実社会での活躍や出世が約束されている」という「東大神話」があるが、それが全くの幻想にすぎないことは、多くの東大卒の人材が、昨今、骨身に染みて感じていることであろう。

それにもかかわらず、いまだに、高校や予備校の教育界は、その「東大神話」や「高学歴神話」を後生大事に抱き続けているが、その神話は、これから到来する人工知能革命の荒波によって、根底から揺さぶられるだろう。

では、東大卒の学歴でも淘汰される時代に、我々は、いかなる能力を身につけ、磨いていくべきか。

そのことは、著書『東大生となった君へ』や『能力を磨く』で詳しく語ったが、その要点を述べるならば、「学歴的能力」よりも高度な「三つの能力」を身につけることである。

第一が「職業的能力」。これは、書物で学べる「専門的知識」ではなく、経験を通じてしか掴めない「職業的智恵」のことであるが、この能力を身につけていくためには、まず、スキルやテクニック（技術・技能）を身につけ、加えて、ハートやマインド（心得・心構え）と呼ばれるものを身につけ、磨いていかなければならない。

第二が「対人的能力」。もとより、その中核は「コミュニケーション力」であるが、特に、言葉以外の眼差しや表情、仕草や姿勢、空気や雰囲気などを通じてメッセージ交換を行う「非言語的コミュニケーション力」を磨いていかなければならない。

第三が「組織的能力」。特に、これからの高度知識社会では、メンバーの心を支え、人間的成長を支え、その知的創造力を引き出す「心のマネジメント」や「成長のマネジメント」「支援型リーダーシップ」の力を身につけなければならない。

しかし、この「三つの能力」の根本にある力は、やはり「人間力」と呼ばれるもの。

そして、人工知能革命が到来する遥か以前から、実社会で活躍する優れた人物は、誰もが、この力を身につけていた。

不思議なことに、この最先端の革命がもたらすものは、懐かしい価値への原点回帰に他ならない。

「明日、死ぬ」という修行

経営の世界において、昔から語られてきた一つの格言がある。

経営者として大成するには、
三つの体験の、いずれかを持たねばならぬ。
戦争か、大病か、投獄か。

ここで投獄とは、文学者・小林多喜二が思想犯として逮捕され、拷問で獄死するような時代の投獄のことであり、この三つの体験は、いずれも「生死の体験」を意味している。

実際、戦後の優れた経営者を見るならば、例えば、伊藤忠商事元会長の瀬島龍三氏は、戦争とシベリア抑留一一年を体験し、京セラ・KDDI創業者の稲盛和夫氏は、若き日に、当時は死病とも呼ばれた結核を患い、住友銀行元頭取の小松康氏は、戦時中に水兵として乗船していた巡洋艦那智が撃沈され、九死に一生を得た。

では、なぜ、経営者として大成するには、「生死の体験」を持たねばならぬのか。

それは、「生死の体験」を通じて、人間は、「死」というものを直視し、深い「死生観」を掴むからであろう。

では、「死生観」を掴むとは、いかなることか。

それは、人生における三つの真実を直視することである。

「人は、必ず死ぬ」

「人生は、一度しかない」

「人生は、いつ終わるか分からない」

その三つの真実である。

では、なぜ、この三つの真実を直視することが、経営者にとって、大成への道となるのか。

その理由は、その直視によって、我々に、三つの力が与えられるからである。

第一に、人生の「逆境力」が高まる。

「人は、必ず死ぬ」ということを直視するならば、人生や経営における最悪の逆境に直面しても、「命あるだけ、有り難い」という絶対肯定の姿勢で処することができる。そして、不運や不幸を嘆くのではなく、「この不運、不幸と見える出来事にも、何かの深い意味がある」と思い定め、すべてを自身の人間成長の糧として解釈する力が身につく。

第二に、人生における「使命感」が定まる。

「人生は、一度しかない」ということを直視するならば、「その一度限りの、かけがえの無い命を、どう使うか」という意味での「使命感」が心に芽生え、それが、世のために何かを為そうとの「志」へと昇華していく。そして、一人の人間が、深い使命感と志を抱くならば、その思いに共感する人々が周りに集まり、その志を実現するための力を貸してくれる。

第三に、人生の「時間密度」が高まる。

人間は、「あなたの命は、あと三〇日」と言われたならば、一日一日を慈しむようにして大切に使う。しかし、「あなたの命は、あと三〇年」と言われたならば、「まだ三〇年もあるか」と思い、安逸な時間の使い方をしてしまう。だが、「人生は、いつ終わるか分からない」ということを真に直視するならば、「与えられたこの一日を、精一杯に生き切る」という姿勢が身につき、その覚悟を持たない人間に比べ、時間の密度が圧倒的に高まっていく。

しかし、こう述べてくるならば、深い「死生観」を掴むことは、一人の経営者として大成するためだけでなく、一人の人間として成長、成熟し、良き人生を送るために大切なことであることに気がつく。

では、この深い「死生観」を掴むためには、戦争や大病や投獄の体験が不可欠なのか。

実は、そうではない。

我々に問われるのは、「人は、必ず死ぬ」「人生は、一度しかない」「人生は、いつ終わるか分からない」という三つの真実を、覚悟を定め、直視することができるか否かである。

仏教者の紀野一義師は、若き口に、「明日死ぬ、明日死ぬ、明日、自分は死ぬ」と思い定め、その日一日を精一杯に生き切るという修行をした。

もし、我々が、本気で、この「明日死ぬ」の修行をするならば、日々の風景が変わる。

そして、人生が、変わる。

しかし、我々の弛緩した精神は、それを頭で理解するだけで、決して行《ぎょう》じようとはしない。

プロフェッショナルの「奥義」とは何か

学生時代、スキーを習っていたときのこと。

急な斜面の滑り方を覚えるために、若手のコーチについて教わっていたが、なかなか滑れるようにならなかった。

その若手コーチは、緩やかな斜面で、スキーのエッジの利かせ方、膝の屈伸、体重の抜重、前傾姿勢、ストックの使い方など、個別の技術について、一つひとつ懇切丁寧に教えてくれる。

しかし、それぞれの技術については、何度も練習し、身につけたはずなのだが、実際に急な斜面を滑ってみると、うまく滑れない。

そうして悪戦苦闘していると、それを見ていた年配のコーチが、一言、アドバイスをくれた。

君は、斜面を怖がっている。
転ぶことを恐れずに、
斜面に飛び込んでみなさい。

この言葉を聞き、腹を括り、思い切って斜面に向かって飛び込んだ。

その瞬間、驚いたことに、それまで身につけてきた個別の技術が一つになり、全身が自然に動き、急斜面も滑れるようになった。

思い出深い瞬間であるが、この体験から、二つ、大切なことを学んだ。

一つは、プロフェッショナルが高度な能力を習得するとき、身につけた個別の技術が、「全体性」を獲得する瞬間があるということ。

もう一つは、その瞬間は、「技術の在り方」ではなく、「心の置き所」と呼ぶべきものを掴んだとき、訪れるということ。

実は、このことは、スポーツの世界だけでなく、ビジネスの世界でも、共通の真実である。

例えば、一流のプロフェッショナルが発揮する高度なプレゼンテーション能力。

それは、プレゼン資料の作り方、スライドの映し方、切り替えのタイミング、プレゼンの姿勢、身振り手振り、表情や眼差し、そして発声など、一つひとつの技術を習得しただけでは、決して身につけることはできない。

そうした個別の技術を磨いても、なかなか、顧客の共感を得られるプレゼンテーションができないとき、それを見ていた熟練のプロフェッショナルから、率直なアドバイスを受ける。

君は、「顧客に売りつけてやろう」という気持ちが強すぎる。

顧客は、その操作主義を感じ、気持ちが離れていく。

君の説明は、流暢だが、どこか「上から目線」になっている。

その無意識の傲慢さを、顧客は感じ、気持ちが冷めていく。

こうした指摘を受け、その指摘を謙虚に受け止めたとき、そのプロフェッショナルは、初めて「スキル倒れ」という言葉の意味を掴み、一流のプロフェッショナルへの道を歩み始めるのであろう。

すなわち、もし、プロフェッショナルの高度な能力に「奥義」と呼ぶべきものがあるとすれば、それは、「技術の在り方」ではなく、その技術の奥にあるべき「心の置き所」に他ならない。

昔から、この日本では、職人や芸人の道は、剣や弓の道と同様、「技を磨く」「腕を磨く」という道から始まり、自然に「心を磨く」「人間を磨く」という道へと深まっていくが、その理由は、この一点にある。

では、なぜ、我々は、プロフェッショナルをめざすとき、しばしば、「技術の在り方」に目を奪われ、「心の置き所」に目を向けることを忘れてしまうのか。

実は、忘れてしまうのではない。無意識に避けてしまうのである。

なぜなら、「心の置き所」に目を向けることは、自身の心の中の不安感や恐怖心、傲慢さや驕《おご》りに目を向けることであり、それは、自身の心の中の「小さなエゴ」の姿を直視する、痛苦なプロセスでもあるからである。

それゆえ、心の中に、その「小さなエゴ」を静かに見つめる「賢明なもう一人の自分」が生まれてきたとき、我々は、プロフェッショナルの「奥義」の一端を掴み始める。

「カオス的世界」に処する叡智

我が国で「複雑系」(complex systems)の研究に興味と注目が集まったのは一九九〇年代であったが、当時、「複雑系」とは何かを論じるのに、「遺伝的アルゴリズム」や「ニューラルネットワーク」「人工生命」(artificial life)などの難しい専門用語が、数多く使われた。

しかし、実は、この「複雑系」というものの本質を説明するのに、そうした難しい言葉は必要ない。

その本質は、かつて、文化人類学者のグレゴリー・ベイトソンが遺した、次の言葉に象徴されている。

「複雑なものには、生命が宿る」

たしかに、その通り。それが、物理や化学のシステムであっても、企業や市場や社会などのシステムであっても、そのシステムが複雑になり、内部での「相互連関性」が高まっていくと、そのシステムは、自己組織化、創発、生態系形成、進化など「生命的システム」に特徴的な性質を示すようになる。

特に、それが企業や市場や社会などの場合には、企業文化や株式市場、社会的ブームなどに象徴されるように、それらのシステムが、あたかも自らの「意志」を持った「生き物」のように振舞うため、しばしば、人為的なコントロールができなくなる。

そして、これから、情報革命やネット革命、人工知能革命などの進展に伴って、企業や市場、社会や国家は、「複雑系」としての性質を一層強めていくため、我々は、制御や管理が困難な「生命的システム」に処する叡智を、深く学んでいかなければならない。

実は、この問題を論じ、生命的システムとしての企業や市場、社会や国家に処する叡智について語ったのが、一九九七年に上梓した『複雑系の経営』や『複雑系の知』などの著書であるが、現在の世界情勢の混沌を見ていると、四半世紀前に書いたこれらの著書のメッセージが、深刻な響きを持って蘇ってくる。

なぜなら、企業や市場、社会や国家が「複雑系」としての性質を強めていくと、上記の性質に加え、最も制御困難な性質を示し始めるからである。

それは「バタフライ効果」と呼ばれるもの。

これは「北京で蝶々が羽ばたくと、ニューヨークでハリケーンが起こる」という比喩から名付けられた性質であるが、カオス理論の専門用語で言えば、「システムの片隅の小さなゆらぎが、システム全体に巨大な変動をもたらす」という「摂動敏感性」のことである。

この生命的システムの持つ自己組織化や進化、摂動敏感性を科学の世界で深く研究したのは、一九七七年にノーベル化学賞を受賞したイリヤ・プリゴジンであるが、彼は、化学的システムが混沌（カオス）を経て進化するとき、小さなゆらぎが、その進化の結果を決定的に変えてしまうプロセスを、「散逸構造理論」という斬新な理論によって説明した。

そして、このプリゴジンの理論に触発された未来学者、アルビン・トフラーは、一九九三年の著書『戦争と平和』の中で、次のように述べている。

「些細な原因が、巨大な結果を引き起こすこともあるのだ。遠い国で起きた些細な戦争が、予測しがたい出来事に何度もぶつかっていくうちに、雪だるま式に大きくなり、しまいには大戦争に発展することだって考えられるのである。世界システムは『プリゴジン的性格』を帯びつつある」

このトフラーの予言から三〇年の歳月を経て、いま、我々は、ロシアのウクライナ侵攻という現実を目撃している。そして、この東欧の片隅での戦闘が第三次世界大戦を引き起こしかねない、深刻な状況を目の当たりにしている。ロシアの文豪、レフ・トルストイではなく、アメリカの未来学者、アルビン・トフラーの著書『戦争と平和』が、恐ろしいほどに、人類の未来を予見していたのである。

では、我々は、この「プリゴジン的状況」に、どう処すれば良いのか。

そのことを考えるとき、プリゴジンが「散逸構造理論」で述べた、詩的とも言える一節が、深い意味を持って心に蘇ってくる。

「平衡状態では、システムの分子は隣の分子しか見ていないが、非平衡状態を経て進化に向かうとき、分子はシステムのすべての分子を見ている。そして、そのとき、混沌から新たな秩序が生まれてくる」

この「分子」を「人間」と読み替えるならば、この言葉は、いま、我々に大切なことを教えている。

いま、ウクライナで何が起こっているかを、目を逸らさず見つめること。

そこで見たこと、感じたことを、思いを込め、多くの人々に伝えていくこと。

なぜなら、暴力と恐怖によって人々を支配しようとする独裁者が最も恐れるのは、自国民を始め、世界中の人々に真実が知れ渡ることだからである。

かつて強大を誇ったソビエト連邦が脆くも崩壊したのは、「グラスノスチ」（情報公開）によってであった。

「不運」の姿をした幸運

中国の前漢時代の書『淮南子《えなんじ》』に「塞翁《さいおう》が馬」の故事がある。

「中国北辺の老人の飼っていた馬が逃げたが、後に立派な馬を連れて帰ってきた。老人の息子がその馬から落ちて足を折ったが、そのために戦争に行かずにすんだ」

との故事であるが、人生の幸運と不運は人智では分からない、との教えでもある。

これは、良く知られた故事であり、諺《ことわざ》であるが、同様の諺に「禍福《かふく》は糾《あざな》える縄の如し」というものもある。この言葉は、幸運と不運は交互にやってくるという人生の理《ことわり》を教えている。

こう述べると、これらの諺に深く頷かれる年配の読者も多いと思うが、筆者が七〇年を越える歳月を歩み、様々な順境も逆境も体験して感じる人生の理は、むしろ、次の言葉である。

幸運は、不運の姿をしてやってくる。

実際、筆者の人生を顧みるならば、当初、「なぜ、このような不運が起こったのか！」と嘆くような出来事が、それから何年もの歳月を歩んで振り返るとき、「ああ、あの出来事のお陰で、このように有り難い道を歩むことができた」と思えることが大半である。

例えば、筆者は、大学院に進み、いずれ大学に残って研究者の道を歩むことを願っていたが、学位を得ても大学にポストが無く、深い挫折感を抱いて民間企業に就職した。しかし、そのお陰で、大学では決して身につけることのできない能力を磨くことができ、さらには、シンクタンクの設立やダボス会議での活動、内閣官房参与など、貴重な仕事を体験することができた。

また、三二歳のときには、生死の境の大病を患い、文字通り、地獄の底を這うような苦渋の体験を与えられた。しかし、そのお陰で、三〇代という若さで、揺らがぬ死生観を定めることができ、「いま、この瞬間を生き切る」という生き方と、「いつ死んでも悔いが無い」という覚悟を掴むことができた。

これ以外にも、筆者の人生には、「幸運は、不運の姿をしてやってくる」という体験は、数え切れぬほどあるが、実は、こうした体験を持っているのは、決して筆者だけではないだろう。

おそらく、この随想を読まれる読者の多くも、不運に見えた出来事が、実は、幸運であったという体験を、いくつも持たれているのではないだろうか。

例えば、人生で与えられた苦労や困難、失敗や敗北、挫折や喪失、病気や事故など、様々な逆境を振り返るとき、

「あの苦労のお陰で、大切なことを学べた」

「あの失敗のお陰で、成長することができた」

「あの挫折のお陰で、この道へと導かれた」

といった深い感懐を抱く人は、決して少なくないだろう。


されば、そうした読者には、一度、自身の人生全体を振り返り、「幸運は、不運の姿をしてやってきた」という体験の棚卸しをされることを勧めたい。

読者は、その棚卸しによって、いかなる逆境をも肯定的に受け止め、それを超えていく力、「人生の解釈力」と呼ぶべき力を身につけることができるだろう。


この「解釈力」とは、人生で、いかなる苦労や失敗や挫折が与えられても、それを、

「この苦労は、何を学べという天の声なのか」

「この失敗は、どう成長せよという声なのか」

「この挫折は、どの道を歩めという声なのか」

と前向きに受け止め、その逆境を肯定的に解釈する力のことである。

そして、実は、この「逆境を肯定的に解釈する力」、それこそが、「不運」に見える出来事を「幸運」へと転じていく力に他ならない。

一方、我々に、その「解釈力」が無ければ、人生の逆境を前に、「なぜ、こんなことが起こったのか」「なぜ、こうした不運が降りかかったのか」「なぜ、自分は、いつも不運なのか」といった後向きの想念、否定的な想念に心が支配され、目の前の問題に正対して取り組む力は生まれてこない。

もし、我々の人生が「大いなる何か」に導かれているのであれば、人生で与えられる様々な出来事には、すべて、深い意味がある。

「解釈力」とは、その意味を考え続ける力に他ならない。

そして、我々が、この「解釈力」を身につけ、どこまでも深めていくならば、いつか、次の言葉が真実であると感じる日が来るだろう。

人生で起こること、すべて良きこと。

戦略思考の深み

戦略思考とは何か。

そのことを考えるとき、いつも思い起こすエピソードがある。

それは、かつて、エドワード・デボノが『水平思考の世界』という著書の中で紹介した、問題解決のエピソードである。

あるとき、米国の大都市にある超高層ビルのオーナーが、エレベータの数が足りないという問題に直面した。

そのビルで働く人々の数に比べ、エレベータの数が少なかったため、毎朝のラッシュアワー時に、なかなか来ないエレベータに対して、人々の不満が溢れたのである。

そこで、「高速エレベータに取り替える」「建物の外部にエレベータを増設する」「勤務時間をずらす」など、様々な解決策が検討されたが、いずれも、コストや手間のかかる実現性の無いアイデアであった。

しかし、ある人物のアイデアが、この問題を見事に解決した。
それは、エレベータのドアの横に「鏡」を置くという解決策であった。
この方法を導入した結果、エレベータを待たされる人々は、鏡を使って、身だしなみを整えたり、自分の外見を見つめたりすることに時間を使えるため、エレベータを待つ時間が、あまり苦にならなくなり、不満は解消されたのである。

このエピソードは、問題解決に取り組む戦略思考について、大切な心構えを教えてくれる。

我々は、いつも、問題解決の鍵を、「最先端の技術」を使ったり、「革新的な制度」を導入することに求める傾向があるが、その本当の鍵は、しばしば、「人間心理の機微」を理解することにある。

そして、このデボノのエピソードは、問題解決の戦略思考について、もう一つの大切な心構えを教えてくれる。
例えば、ある会議で、メンバーが、河に架ける橋を、吊り橋にするか浮き橋にするか、木造にするか鉄筋にするかで、大議論をしている。

しかし、その議論に冷静に耳を傾けていた一人のメンバーが、訊く。

「もし、この会議の目的が、人や車が、どうすれば河を渡ることができるかを考えることであるならば、橋を架けることだけが解決策ではないだろう。この場合、通行量の少なさと総コストを考えるならば、フェリーを運航させ、それで人や車を渡すことも考えられるのではないか」

たしかに、その通り。もし我々が、与えられた問題の本質が「いかにして河を渡るか」であると理解するならば、その解決策は、橋を架けることだけではない。船で渡ることでも、地下トンネルを掘ることでも良い。さらには、ロープウェイを通すことや、飛行船で渡ることなど、どこまでも柔軟な思考が可能になる。

実は、こうした「視点の転換」や「視野の拡大」による問題解決の心構えを、戦略思考の世界では、昔から、次の言葉で象徴的に語っている。

橋のデザインを考えるな。

河の渡り方を考えよ。

冒頭に述べたデボノのエピソードは、この言葉のごとく、「エレベータのことを考えるな。人々の心理的苦痛を和らげる方法を考えよ」と視野を広げ、問題の本質を見つめた瞬間に、卓抜な解決策が見えたのであり、これもまた、「視野狭窄」から抜け出し、本質思考に戻ることの大切さを教えている。

そして、我々の戦略思考が壁に突き当たるとき、実は、多くの場合、この「視野狭窄」が原因になっている。

しかし、この戦略思考の心構え、真に難しいのは、「視野狭窄」から抜け出すことではない。

「人間心理の機微」を理解することである。

そして、そのことに気がつくとき、我々は、戦略思考というものが、論理思考の世界を遥かに超えたものであることを知る。

戦略思考もまた、究極、深い人間力が問われる世界に他ならない。

第二部

科学と宗教の対立を超えて

パンデミック危機後の社会

　この数年間、新型コロナウイルスによるパンデミックが、全世界を危機に陥れてきたが、この状況を見るとき、筆者は、かつて深い感銘を受けた、一つの言葉を思い出す。

　それは、リーマン・ショックに端を発した世界経済危機の翌年、二〇〇九年一月に開催された世界経済フォーラムの年次総会、通称「ダボス会議」において、米国の宗教家の語った言葉である。

　この年のダボス会議では、数多くのセッションにおいて、この世界的な経済危機を乗り越えるための政府の政策や企業の戦略が熱心に議論されたが、その一つのセッションでは、イギリスのトニー・ブレア元首相、イスラエルのシモン・ペレス大統領、米国のキリスト教の牧師、ジム・ウォリスが壇上に並び、パネル討論が行われた。

　その討論において、ブレアやペレスという論客を前に、ウォリス牧師は、静かな、しかし、信念に満ちた口調で、こう述べた。

毎朝テレビをつけると、誰もがこう語っている。
「この危機は、いつ終わるのか」と。
しかし、これは問いの立て方が間違っている。
我々が問うべきは、別の問いではないか。
「この危機は、我々を、どう変えるのか」
その問いをこそ、問うべきであろう。
この危機は、いずれ終わる。
しかし、この危機が終わったとき、もし、我々が何も変わらないのであれば、
この危機の中で、多くの人々が味わった苦しみは、
すべてが無駄であったということになる。

筆者が、この言葉を思い起こしたのは、このウォリス牧師の世界経済危機を語る言葉は、いま、我々が直面しているパンデミック危機についても、そのまま当てはまると感じたからに他ならない。

実際、もし我々が、この新型コロナウイルスの感染拡大を無事に終息させることができたとしても、いずれ、これからの時代、こうしたパンデミック危機は、何度も繰り返しやってくる。

そのことを覚悟するならば、終息後、我々が何よりも考えるべきは、このパンデミック危機を貴重な教訓として、我々の社会の政治や行政、経済や経営、文化や習慣の在り方を、どのように変えていくべきかであろう。

しかし、残念ながら、二〇〇八年の世界経済危機は、ウォリス牧師の警鐘にもかかわらず、世界の政治、経済、文化の在り方を、何も変えることはなかった。

いや、皮肉なことに、その後にやってきたのは、人類の歴史上、かつて無かったほどに、富裕層と貧困層の格差が拡大した社会であった。

では、このパンデミック危機を経てもなお、我々の社会は変わることなく続いていくのであろうか。

いや、そうではない。なぜなら、このパンデミック危機は、これまでの経済危機とは、決定的に異なった性質の危機だからである。

これまでの経済危機は、政治家の語る「弱者救済」という言葉とは裏腹に、残念ながら、実際には、多くの貧困層＝経済的弱者を犠牲にすることによって終息してきた。

しかし、このパンデミック危機は、そうした形で終息する危機ではない。

なぜなら、第一に、このウイルスは、富裕層と貧困層の違いを問わず、誰もが感染する可能性があり、第二に、その感染が拡大したとき、医療崩壊という形で、富裕層にも多くの犠牲者が生まれ、第三に、貧困層に病気が蔓延し、働けなくなると、多くの社会的機能が停止してしまい、富裕層の生活にも、相当な被害が及ぶことになるからである。

すなわち、このパンデミック危機は、グローバルなレベルで高度に相互依存した社会においては、経済的強者＝富裕層が生き残り、経済的弱者＝貧困層が犠牲になるという形では、決して終わらない。

これまでの歴史が繰り返してきたように、経済的危機において、貧困層が社会の〝衝撃吸収〟の役割を果たし、犠牲になることによって、富裕層優位の社会が維持されるということにはならない。

言葉を換えれば、このパンデミック危機は、経済的弱者＝貧困層をも決して見捨てることなく救済する包摂的・人道的社会システムを築かないかぎり、決して乗り越えていくことはできないのである。

自国中心主義と自己中心主義が広がる時代の極点で与えられた、この世界的なパンデミック危機。

そこには、深い意味がある。

「苦労」の意味

米国のＳＦ映画に、一九六六年に制作された『ミクロの決死圏』(Fantastic Voyage) という名作がある。この映画は、脳に障害を負った患者を救うために、医師チーム五人が、最先端科学技術によって血管よりも小さなミクロサイズに縮小され、注射によって患者の体内に送り込まれ、患部の治療に向かうという物語である。

与えられた時間はわずか一時間、体内の白血球によって攻撃されながら、必死に治療に向かうチーム、そして、それを手術室で見守る管制官たち。

この映画に、心に残るシーンがある。それは、管制官の一人が、チームのメンバーの安否を心配しながら、コーヒーを飲むシーンである。そのコーヒーカップの横を、小さな虫が這っていく。その虫を、何気なく指で潰そうとした管制官は、その行為の意味に気がつき、手を引っ込める。それは、その虫の姿が、いま患者の体内で戦っているミクロサイズになった仲間の姿と重なったからである。

映画の本題とは離れたこのシーンが、半世紀の歳月を越えて、いまも、心に残っている。

なぜなら、このシーンが、一つの言葉の意味を、象徴的に教えてくれているからである。

それは、「共感」という言葉。

この言葉は、世の多くの人々が好んで使う言葉であるが、その本当の意味は、「相手の姿が、自分の姿のように思えること」に他ならない。

その意味で、この管制官は、目の前の虫の姿が、自分たちの仲間の姿のように思えたのであり、まさに、その虫に「共感」を覚えたのであろう。

では、我々は、どのようにすれば、他者に対する「共感の心」を身につけることができるのか。

実は、この「共感の心」や「共感力」と呼ばれるものは、書物を読んだだけでは、決して身につかない。それが、いかなる宗教書であれ、心理学書であれ、どれほど書物を通じて「共感の大切さ」を学んでも、それは、ただ「頭」で理解しただけであり、決して身についたものとはならない。

では、我々は、他者に対する「共感力」を、いかにすれば身につけられるのか。

その答えは、素朴であるが、しかし、厳しい答えである

「人生において、自身が、様々な苦労を重ねること」

そのことを抜きにして、我々は、真の「共感力」を身につけることはできない。

例えば、家庭の貧しさの中で自尊心を持てず苦しんでいる人間の気持ちは、やはり、同様の経験、「貧しさという苦労」の経験を積んだ人間にしか分からない。

また、家庭の中で親子の不和で苦しむ人間、職場の人間関係で苦しむ人間の気持ちは、その経験を持たない人間には、本当には分からない。

しかし、現実には、我々は、世の中の人々の苦労の、すべてを経験することはできない。

それでも、もし我々に、相手の苦労を分かってあげたいという思いと、その優しさに支えられた想像力があれば、何かが変わる。「もし、自分が相手の境遇であったならば、どのような思いになるだろうか」と想像すること。それだけでも、何かが変わる。

だが、その想像力もまた、やはり、自身にそれなりの苦労の経験が無ければ身につかない。

そのことを理解するとき、一つの言葉が、新たな意味を持って心に浮かんでくる。

「若い時の苦労は、買ってでも、せよ」

筆者自身、若き日に、この言葉の深い意味を理解できたわけではないが、永い歳月を歩み、人生の様々な苦労を与えられ、この言葉の大切さが心に染み入るように分かる時代を迎えた。

なぜなら、我々が歳を重ね、会社や組織でリーダーの立場が与えられたとき、この「若い時の苦労」が、かけがえのない財産になるからである。

職場の片隅で部下が上司について語る言葉、「あの人は、苦労知らずだから、人の気持ちが分からない…」と「あの人は、苦労人だから、分かってくれる…」は、天と地ほどの開きがある。それは、そのまま、メンバーがリーダーに対して、その「共感力」と「人間力」の有無を語る言葉でもある。

しかし、そのことを理解してなお、我々は、「やはり苦労はしたくない」との思いを持つ。

だが、有り難いことに、その思いを超え、人生と仕事において、我々には、必要なとき、必要な苦労が与えられる。そのことは、苦労のさなかには気がつかないが、歳月を経て振り返るとき、気がつく。

なぜなら、人生の苦労は、大いなる何かが、我々を育てようとして与えるもの。

その成長を通じ、素晴らしき何かを成し遂げさせようとして与えるもの。

そのことに気がついたとき、目の前の風景が変わる。そして、人生の風景が変わる。

上手な二流、下手な一流

一流のプロの世界とは、いかなるものか。

そのことを考えさせる、興味深いエピソードがある。

ある大都市の首長選挙でのこと。

二人の候補者が激しく競い合う選挙において、両陣営の選挙自動車が街中を走り回り、住民に対して懸命に支持を呼びかけていた。

その選挙戦のさなか、ある選挙事務所の前を、味方の陣営の選挙自動車が、支持を訴えながら、通り過ぎていった。

その訴えを行う車上の運動員は、語りのプロフェッショナルらしく、よく通る声と流暢な話し振りで支持を呼び掛けていた。

しかし、それを聞いた事務所の熟練の選挙参謀が、表情を曇らせ、呟いた。

「あの喋り方では、駄目だ。

あれでは、住民の気持ちが離れてしまう…」

しばらくすると、その事務所の前を、相手陣営の選挙自動車が通り過ぎていった。

その自動車から聞こえてくる運動員の声は、草の根の支持者が喋っているらしく、素人らしい声と素朴な言葉で、支持を訴えていた。

しかし、そのため、その喋り方は、住民にとって親しみと共感を覚えるものであった。

それを聞いた先ほどの選挙参謀が、悔しそうに、呟いた。

「あれは、本当は、素人じゃない。
実は、プロの役者が喋っているんだ。
あちらの選挙事務所が、一枚上手なんだよ…」

このエピソードを聞くとき、昔からプロフェッショナルの世界でしばしば語られる、二つの言葉を思い起こす。

「うまへた」と「へたうま」。

たしかに、プロフェッショナルの世界では、「上手そうに見えて、実は下手」と「下手そうに見えて、実は上手い」という二つの段階がある。

例えば、プレゼンテーションにおいても、「立て板に水」のように実に流暢に喋るが、話している内容があまり印象に残らないタイプと、素朴な喋り方なのだが、なぜか、言葉が心に残るタイプがいる。

こうした場合、後者は、実は、かなりの技を持ったプロフェッショナルであることが多い。

この「うまへた」と「へたうま」は、話術の世界だけでなく、文章やデザインの世界にもある。

先日、あるテレビ番組で、世界的ファッションデザイナーの山本耀司《ようじ》氏の服作りの現場を紹介していたが、その場でも、山本氏はスタッフに「わざとで良いから下手くそにして！」と指示を出していた。

また、筆者が仕事をしている文章の世界でも、若き日に大切なことを学んだ、印象的な思い出がある。

それは、筆者が高校生であった一九六九年のこと。

この年の第六一回芥川賞を受賞したのは、庄司薫の『赤頭巾ちゃん気をつけて』であった。

これは、ほのぼのとした軽妙な筆致で、高校生の青春の一日を描いた小説であったが、その文章は、一見、誰にでも書けるような素人的な文体のものであった。実際、当時、筆者の同級生には、庄司薫の文体を真似て、自伝的ユーモア小説を書いたりした者もいた。

しかし、筆者は、あるとき、ふと立ち寄った書店で、一冊の本を手にして衝撃を受けた。それは、庄司薫が本名の福田章二で小説を書いていた時代の初期作品集であったが、その中の一篇、中央公論新人賞を受賞した『喪失』を読んで、愕然とした。

それは、精緻なガラス細工のごとく、見事なレトリックが駆使された、一流の物書きの文章であった。そして、筆者は、あの誰でも書けそうに思えるユーモア小説的文体が、この見事な文章の世界に辿り着いた人間が、敢えて書いたものであることを知り、深い感銘を覚えた。

書道の世界でも、まず、楷書《かいしょ》を覚えたのち、行書、草書を覚えていく。そして、どのような芸事も「守・破・離」の三つの段階、すなわち、まず基本の型をしっかり覚え、次に、その型を崩していく段階があるが、技を磨くとき、残念ながら、「守」の段階で満足し、留まってしまう職業人が多い。

しかし、実は、その先の段階にこそ、プロフェッショナルの世界の味わいがあり、真の個性の開花がある。

人生のすべての記憶

大学時代のこと、登山部に所属する友人が岩登りをしていたとき、危険な岩場で、滑落事故を起こした。

仲間の見ている前で、彼は、足を滑らせ、岩の斜面を、谷底に向かって滑り始めた。

その瞬間、誰もが、命を失う事故になると、固唾《かたず》を呑んだ。

しかし、次の一瞬、彼は、岩場に生えていた小さな灌木《かんぼく》に引っかかり、九死に一生を得て、命拾いをした。

その友人が、この滑落の瞬間を回想し、こう話してくれた。

「あれは、本当だった。
もう命が無い！　と思った瞬間、
人生の様々な場面が、一瞬にして甦り、
頭の中を、走馬燈のように駆け巡っていった」

たしかに、昔から、人々の言い伝えで、「人生の最期の瞬間に、その人生のすべての場面が、走馬燈のように駆け巡っていく」と語られてきた。

また、同様のことが、英米では、「フラッシュ・バック」という言葉で語られてきた。

しかし、この友人が証言したように、もしそれが真実であるならば、自然に、一つの問いが、心に浮かぶ。

「我々の頭や心の奥深くには、

人生のすべての場面が記憶されているのか。

さらには、

人生で触れたすべての情報が記録されているのか」

おそらく、この問いに対する答えは、「然り」であろう。

なぜなら、世の中には、ときおり、「フォトグラフィック・メモリー」と呼ばれる能力を持った人間が現れるからである。

すなわち、人生で目撃した場面を、あたかも写真を撮ったかのごとく、詳細に、そして、正確に記憶している人物がいる。

されば、我々の心の奥深くに、人生で見たすべての場面が記憶され、人生で触れたすべての情報が記録されていたとしても、少しも不思議ではない。

しかし、ここで、さらに深い問いが、心に浮かぶ。

「では、なぜ、我々は、その能力を、日常的に発揮できないのか」

「では、なぜ、我々は、忘却という形で、記憶を取り出せなくなるのか」

もし、この問いに対する答えを得ることができたならば、そのとき、我々は、人間の心の奥深くに眠る素晴らしい能力を解き放ち、想像もできない可能性を開花させることになる。

かつて、弘法大師・空海は、厳しい密教の修行を経て、驚異的な記憶力を発揮したと言われる。

また、音楽家モーツァルトは、一四歳のとき、九声合唱曲を一度聴いただけで記憶し、楽譜に書き起こしたと言われる。

これら「天才」と呼ばれる先人の姿。

それは、決して、何か、特殊、特別、特異な人間の姿ではない。

それは、決して、我々と、遥かかけ離れた人間の姿ではない。

これら先人の姿が教えているのは、我々人間の誰もが、その心の奥深くに、想像を超えた力を宿しているという事実。

では、その力が解き放たれたとき、何が起こるのか。

そのとき、人類の「前史」の時代が終わる。

「見えている」ことの強さ

何年か前、朝のテレビ番組にコメンテーターとして出演していたとき、丁度、その番組が始まる時間に、都内で、警察が出動する犯罪事件が起こり、急遽、番組を実況中継に切り替えて放映した。

そのとき、番組を担当するプロデューサーが語った言葉が、心に残っている。

「この事件で被害に遭われた方のことを考えると、こんなことを言ってはいけないのですが、番組的には、有り難いタイミングでの事件でした…」

この言葉を聞いたとき、一人の写真家のことを思い出した。

それは、「レンズの眼を持つ哲学者」と呼ばれる戦場写真家、ジェームズ・ナクトウェイ。いまも世界各地で様々な戦争が引き起こされているが、彼は、そうした苛烈な戦場に身を投じ、極限の状況にある人々の姿を写真に収め、戦争の悲惨を世界に伝え続けてきた。

その彼の活動を伝える映画、『戦場のフォトグラファー』において、ナクトウェイは、次の言葉を語っている。

写真家として最も辛いのは、
他の誰かの悲劇で得をしていると感じることだ。

この考えは、常に私につきまとう。

人々への思いやりよりも、
個人的な野心を優先すれば、
私は、魂を売り渡すことになる。

人を思いやれば、人から受け入れられる。
そして、その心があれば、
私は、私を受け入れられる。

ナクトウェイが内省的に語る、この言葉を聞くとき、我々は、自分の心の中にある密やかな野心やエゴの存在に気がつく。

そして、そのとき、ナクトウェイという人物の強さが、いかなる強さであるかを理解する。


自分の心の中の野心やエゴの姿が、見えている。

それが見えているからこそ、流されない。


それは、彼だけでなく、我々人間にとっての「真の強さ」であろう。

そして、その意味で、冒頭のテレビプロデューサーもまた、自分の心の中が見えているからこそ、あの言葉を、自戒を込めて語ったのであろう。


しかし、最近のテレビや雑誌を見ていると、「他人の不幸や悲劇」を売り物にすることへの自戒が失われているように感じるのは、筆者だけではないだろう。

だが、そのことを嘆きながらも、テレビの視聴者であり、雑誌の読者である、自分自身の心の中を見つめてみるならば、そうした番組や記事に、つい目を向けてしまう「もう一人の自分」がいることにも、気がつく。

そうであるならば、テレビや雑誌というメディアの現状は、決して「メディアの堕落」といった簡単な言葉で表現できるものではない。

いずれ、メディアと視聴者、読者は「一対の鑑《かがみ》」

我々の心が、メディアに影響を受けるだけでなく、我々の心の在り方が、メディアの姿勢を引き出している。それも、もう一つの真実であろう。

そのことを考えるとき、昔から密やかに語られる一つの言葉の怖さを、改めて思う。

「他人の不幸は、蜜の味がする」

この言葉に示される、我々の心の中の「小さなエゴ」。それは、誰の心の奥深くにもある。

されば、もし我々が、真に「他者への共感の心」を大切にしたいのであれば、その前に、

我々は、心の奥深くに潜む、この落し穴を見つめなければならない。

「創造性」をめざす過ち

昔、ある喫茶店で、二人の学生が、熱心に議論をしていた。

二人は、美術大学で絵を専攻している学生のようであったが、耳に入ってくる二人の議論は、

「いかにして創造性を身につけるか」というものであった。

一人は、創造性に優れた作品を数多く鑑賞することの大切さを語っていた。

一人は、無垢の心で自然に触れ、感じる力を磨くことの大切さを語っていた。

二人は、画家をめざす者として、創造性を身につけたいとの情熱に溢れ、謙虚に、そして、
真摯に語り合っていたのだが、その話を聞いていて、なぜか、一つの疑問が、心に浮かんだ。

はたして、ピカソは、
「創造性」を身につけたいと
思っていただろうか。

おそらく、ピカソの心の中には、「創造性」という言葉は無かった。

そして、彼の作品の中に人々が感じる「創造性」は、彼にとっては、全身全霊での自己表現の、単なる「結果」にすぎなかった。それは、彼にとって、決して「目的」ではなかった。

それが真実であろう。

しかし、それにもかかわらず、我々は、いつも、過ちを犯してしまう。

「結果」にすぎないものを、

「目的」にしてしまう。

そして、それは、「現代の病」と呼ぶべきもの。

例えば、いま、経営の世界に溢れる「イノベーション」という言葉。

いまや、「日進月歩」を超え、「秒進分歩」で技術革新や経営革新が進む時代。多くのメディアや経営学者、評論家は、「イノベーションを起こせる企業になれ」「イノベーティブな企業になれ」と語っている。

しかし、こうした言葉の洪水の中で、心に浮かぶのは、先ほどの問い。

はたして、これまで、
優れたイノベーションを起こしてきた企業は、
「イノベーションを起こす」ことを
「目的」にしてきただろうか。

そうではない。それも、やはり「結果」にすぎない。

例えば、「こんな商品があれば、世の中の多くの人が、喜ぶのではないか」という思い。

例えば、「こんなサービスがあれば、困っている人が、助かるのではないか」という思い。

そうした思いが、社員を、経営者を、新商品の開発や新サービスの開発に没入させる。

そして、そこに生まれてくるのは、「寝食忘れて」「寝ても覚めても」「一心不乱」「無我夢中」といった言葉で形容される現場の熱気。

その熱気こそが、いま、シリコンバレーの現場にあるものであり、かつて、日本企業の現場にあったものであろう。

そうであるならば、経営者は、「どうすれば、イノベーションを起こせるか」「どうすれば、イノベーティブな企業になれるか」といったことを考えるよりも、「当社の現場には、その熱気があるか？」をこそ、考えてみるべきであろう。革新的な商品やサービスは、そうした「熱気」からこそ、生まれてくる。

では、その「熱気」は、どのようにして生まれてくるのか。

その問いへの答えは、経営者の心の中にある。

「この商品で、世の中の多くの人を喜ばせたい」
「このサービスで、困っている人を助けたい」

その深い思いが、経営者の心の中にあり、拙い言葉でもよい、その思いを真摯に、熱を込め、社員に語り続けるならば、その現場には、自ずと「熱気」が生まれてくる。

そして、その「深い思い」。

それを、昔から、日本の経営においては、「志」、そして「使命感」と呼んできた。

もう一つの生態系

電気自動車会社テスラモーターズの経営者であり、スペースX社の経営者でもある、起業家イーロン・マスクは、二〇二〇年代に有人探査機を火星に送り込み、それを足掛かりに、四〇年から一〇〇年をかけて火星を人間の住める環境に改造する「テラフォーミング」という計画を提唱している。また、オランダの民間組織マーズワンは、やはり二〇二〇年代に二四人の人類を火星に送り込む計画を表明し、その二四人のメンバーの選抜まで行っている。

これらの火星移住計画の背景には、いずれ地球の資源が枯渇し、環境破壊が進み、この惑星が人間にとって住みにくい場所になるという暗い未来予測があるが、一方で、この大胆な計画を「わくわくする未来」として語る識者も、決して少なくない。

ただ、こうした火星移住計画を耳にするとき、筆者の脳裏に浮かぶのは、一九九一年から一九九三年にかけて、アメリカのアリゾナ州の砂漠において行われた「バイオスフェア2」という壮大な実験である。

それは、巨大なガラス製のドームの中に、水や空気、土壌とともに、三八〇〇種類の動植物を持ち込み、外界とは完全に隔離された「生態系」を人工的に創出し、その生態系を人間の生存に適した状態に制御しようとする実験であった。

しかし、海や砂漠、熱帯雨林まで模擬した、この「人工生態系」の実験は、まもなく、酸素濃度の低下や、生物の死滅、虫の大量発生などの問題に直面し、その計画を中止する結果となった。

すなわち、自然の生態系を人為的に創り出し、都合の良い状態に制御しようとするこのプロジェクトは、皮肉なことに、むしろ、その難しさを象徴的な形で突きつける結果となり、我々は、自然の生態系というものが実に精妙なバランスの上に成り立っていることを、改めて思い知ることになったのである。

この事実を理解するならば、人類が火星に移住し、「テラフォーミング」によって、そこに人類が生存できる豊かな自然の生態系を創ろうとする試みは、現在の我々が想像するよりも遥かに難しい挑戦になることを覚悟すべきであろう。

そうであるならば、現在の人類が挑戦すべきは、「いずれ地球の資源が枯渇し、環境破壊が進み、この惑星が人間にとって住みにくい場所になる」という前提のもとに、火星に新たな「エデンの園」を見つけようとすることではない。

むしろ、「地球の資源の枯渇を避け、環境破壊をやめ、この惑星を人間にとって住みやすい場所として存続させ続ける」という挑戦にこそ、いま、人類社会の最大のエネルギーを注ぐべきであろう。

では、なぜ、その当然の挑戦に、人類は力を合わせて取り組むことができないのか。

そのことを考えるとき、先ほど述べた「バイオスフェア２」の実験に、もう一つの大きな失敗があったことを思い起こす。

この事実は、あまり知られていないが、実は、この実験に参加した八人の研究者たちは、外界から隔離されて生活した二年間の実験期間中に、互いの意見が衝突し、感情的な不和が生まれ、共同生活を営むことができなくなってしまったのである。

この残念なエピソードを知るとき、地球という惑星において、我々人類が賢明に処していかなければならないのは、「自然の生態系」だけでなく、もう一つ、大切な生態系があることに気がつく。

それは、「心の生態系」と呼ぶべきもの。

いまもなお、異なった人種、異なった民族、異なった国家、異なった宗教が、互いに争い合う、この地球という惑星。

もし、この惑星の上に、八〇億の人々の心が織りなして生み出す「心の生態系」というものがあるならば、この生態系が、いまだ望ましい調和の中にないこと、その生態系のバランスが崩れ続けていることこそ、最大の問題なのであろう。

されば、この惑星において、いま我々人類が本当に学ぶべきは、このもう一つの精妙な生態系、「心の生態系」に処すための深い叡智に他ならない。

我々は、その人生において困難な課題に突き当たったとき、その場所から逃げ、巧みにその課題を避けたつもりでも、次の場所で、必ず、同じ課題に突き当たる。

それゆえ、人生においては「卒業しない試験は、追いかけてくる」という警句が語られるが、実は、それは人類においても同じ。

たとえ火星に移住しようとも、人類にとって、その試験は追いかけてくる。

されば、宇宙に向けて人類の本当の旅が始まるのは、その卒業証書を手にしたときであろう。

賢明なもう一人の自分

我々誰の心の中にも「賢明なもう一人の自分」がいる。

そう述べると驚かれるかもしれないが、そのことを教えてくれる、映画の一場面がある。

それは、二人の名優、ロバート・デ・ニーロとメリル・ストリープの共演による一九八四年の米国映画『恋におちて』(Falling in Love) の一場面であるが、夫を持つ身であるモリーは、妻帯者のフランクを好きになってしまう。そのため、フランクとの逢引きの前に、彼女は、鏡を前に、夢中になって服を選び続けるのだが、そのとき、ふと、モリーの中から「もう一人の自分」が現れ、鏡に映る自分に向かって、次の言葉を語りかける。

What are you doing?

(あなた、何をしているの…)

すなわち、一時の感情に流されている自分に対して、冷静にその姿を教えてくれる「賢明なもう一人の自分」。怒りや嫉妬など、エゴの衝動に突き動かされているとき、その自分の姿を冷静に見つめ、囁きかけてくれる「もう一人の自分」。

必要なとき、必要な場面で、その自分が現れてくるか否かで、人間関係は大きく異なってくる。

それゆえ、世の中では、人物を評するとき、次のような言葉が使われるのであろう。

「彼は、自分が見えなくなっているから危うい」

「彼女は、自分が見えているから安心だ」

また、感情やエゴに突き動かされる自分の姿を静かに見つめる「もう一人の自分」は、その場面でなくとも、少し遅れて出てくるだけでも、人間関係における無用の摩擦を避けることができる。

それが、「先ほどは、少し感情的になっていました……」といった謝罪の言葉であろう。

このように、我々の心の奥深くから自分の姿を静かに見つめている「賢明なもう一人の自分」の存在は、人間関係においても重要な役割を果たすが、実は、我々の能力の発揮や才能の開花においても大きな役割を果たす。

例えば、世の中には、せっかく優れた能力を持ちながら、大舞台において、強いプレッシャーのため、その力を十分に発揮できないという人は多い。

しかし、プロ野球大リーグで活躍したイチロー選手は、かつて、歴史的記録がかかった試合の前に「プレッシャーを感じませんか？」とのインタビューを受け、こう答えている。

「もちろん、大変なプレッシャーを感じます。
しかし、そのプレッシャーを楽しんでいる、もう一人の自分もいるのですね」

このように、心の中に「賢明なもう一人の自分」がいることによって、プレッシャーに潰されず、持てる能力を十全に発揮できることも事実である。

また、昔から役者の世界では、

「良い演技をするためには、役を演じている自分と、
それを静かに見つめているもう一人の自分がいる」

と語られてきた。

同様に、リーダーシップとは、ある意味で、「望ましいリーダー像を演じること」であるが、そのため、優れたリーダーシップを発揮するためには、「いま、自分は、部下からどう見えているか」を、自己満足に陥ることなく、客観的な眼差しで見つめながら、リーダー像を演じていく必要がある。

だが、そのためにも、やはり、自分の姿を静かに見つめている「賢明なもう一人の自分」が心の中に存在していることが不可欠である。

しかし、こう述べると、「自分の中には、その『賢明なもう一人の自分』がいないのでは…」と悩まれる読者がいるかもしれないが、実は、この「賢明なもう一人の自分」は、誰の中にもいる。

問題は、その「もう一人の自分」が、必要なとき、必要な場面で現れてくるための方法を、どうすれば身につけられるかである。

そのための最初の一歩は、この随想を読み終わったあと、自分の中に何人の自分がいるか、いくつの人格がいるかを考えてみることである。

例えば、「自分は、家では子煩悩な父親だが、職場では厳しい上司を演じている。しかし、実家に帰れば、母親に甘える末っ子の人格が現れてくる」。

そういった形で、自分の中にいる様々な人格を客観的に見つめていくとき、我々の中に、それらのどの人格にも属さない「もう一つの人格」が現れていることに気がつくだろう。

実は、それが「賢明なもう一人の自分」に他ならない。

そして、その人格の存在に気がついたならば、ときおり、心を静め、その自分との対話をする習慣を身につけることである。

その習慣は、歳月とともに、我々の精神を、深い成熟へと導くだろう。

言葉を語るとき問われるもの

かつて、ある詩人が、著書の中で、「現代は、香りのある言葉に〝手垢〟がついてしまう時代。詩人にとっては受難の時代である」と嘆いていた。

たしかに、その通りであろう。

昔から、日本語には、香りのある言葉、余韻のある言葉、深みのある言葉が、数多くあったが、コマーシャリズム全盛の現在、マスメディアに溢れる広告や宣伝では、その言葉が本来持つ香りや余韻や深みを理解することなく、安易なキャッチフレーズとして使ってしまう。そのため、それらの言葉に〝手垢〟がついてしまい、いざ、詩人が、それを使おうとすると、むしろ、陳腐な言葉のように聞こえてしまうのである。

例えば、映画の宣伝文句などでも「永遠の……」「魂の……」「……の邂逅《かいこう》」などの言葉がしばしば使われるが、本来、こうした言葉は、それなりの人生体験を重ねた人間が語るとき、初めて、その香りや余韻や深みが生まれてくる言葉である。

しかし、言葉に〝手垢〟がつくのは、広告や宣伝だけではない。例えば、最近の政治家が好んで使う「被災者に寄り添って」という言葉。この「寄り添う」という言葉もまた、本来、深い愛情と共感を伴った味わいのある言葉なのだが、被災者への深い共感など持たない政治家が、ただ口先だけでこの言葉を使う姿を見ていると、いつか「寄り添う」という言葉を使うことが憚《はばか》られるようになってしまう。

また、例えば、二〇一九年のラグビーワールドカップ日本大会において、日本代表チームの歴史的な活躍の結果、多くの人々が口にするようになり、流行語大賞にも選ばれた「One Team」という言葉。

もとより、日本代表チームのベスト・エイト進出という偉業は、この言葉を合言葉として成し遂げられたものであるが、コーチや選手が、この「One Team」という言葉を語るとき、それが我々の心に響き、強い説得力を持つのは、その背後に、我々の想像を超えた彼らの厳しい練習の日々があったことを、決して忘れるべきではないだろう。

しかし、残念ながら、世の中を見渡すと、そのことを忘れ、この言葉を流行やファッションのように扱い、ただ「One Team」と語れば、自分の預かっている組織や人間集団が強くなると思い込むリーダーがいるのも事実である。

では、このように、大切な言葉に、容易に〝手垢〟がついてしまう時代、我々は、言葉というものに、どう処すれば良いのか。

その基本は、まず、「言葉の重さ」を理解することであろう。

すなわち、言葉には「重さ」があるのである。

それゆえ、「重い言葉」を語るとき、自分に人間としての「重量感」と「精神の力」が無ければ、その言葉は相手に届かず、相手の心に響かない。

それは、あたかも〝砲丸投げ〟に似ている。

重い砲丸を投げようと思っても、自分にそれなりの重量と体力が無ければ、砲丸を力強く投げることもできず、遠くに投げることもできないのである。

例えば、そうした「重い言葉」の典型的なものが、「愛」という言葉であろう。

この言葉は、世の中に溢れているが、実は、極めて重い言葉なのである。

それゆえ、何かの会話において、我々が「大切なものは、愛ですね」といった言葉を語ると、ほとんどの場合、その言葉の重さに負けてしまい、会話が上滑りになってしまうのである。

これを逆に言えば、我々に人間としての「重み」が無ければ、語る言葉にも「重み」が備わらず、言葉が軽くなってしまうのである。


では、どうすれば、我々の語る言葉に「重み」が備わるのか。

もとより、そこに安易な方法は無いが、そのためには、一つの修業を続けることである。

言葉を語るとき、それが、単に何かの「書物」で学んだ言葉なのか、自身の「体験」を通じて掴んだ言葉なのか。そのことを意識しながら、言葉を語る修業を続けることである。

もし、その修業を永年続けるならば、いつか、自身の語る言葉に重みが備わっていることに気がつくだろう。

すなわち、究極、「言葉の重み」とは、背負ってきた「体験の重み」なのである。

そして、そのことを教えてくれるのが、胸に突き刺さる、次の警句に他ならない。

言葉を語るとき、大切なのは、
何を語るかではない。
誰が語るかである。

科学と宗教の対立を超えて

冒頭、唐突な質問と思われるかもしれないが、読者は、日常生活で「他人の視線」を感じたことが無いだろうか。

ある瞬間、誰かに見られているような気がして、そちらを向くと、たしかに誰かが自分を見つめていたという体験である。

また、家族や親友など、気心知れた相手と一緒にいるとき、何も言葉を交わさずとも、その考えが伝わってきて、同時に同じ言葉を発したという体験、いわゆる「以心伝心」の体験は無いだろうか。

そして、ふと、理由もなく、何かの「嫌な予感」や「胸騒ぎ」がしたら、実際、その後、悪い出来事が起こったという体験は無いだろうか。

実は、こうした体験は、多かれ少なかれ、誰もが持っている。それゆえ、昔から、小説などでも、「ふと、視線を感じて」という描写や、「以心伝心」「悪い予感」などの表現は、当たり前のように使われてきた。

しかし、一方、現代の科学は、こうした「視線感応」や「以心伝心」「予感」などの体験は、科学的根拠の無いものであり、「単なる偶然」「何かの錯覚」「ただの思い込み」にすぎないと解釈している。

また、いまも多くの人々は、人生における「運気」の存在を信じ、しばしば、「運が向いてきた」や「運が無かった」という言葉を、当然のごとく使う。さらには、「占い」というものを信じ、人生の節目で、易や四柱推命など、何らかの「占い」をしてもらう人も、決して少なくない。

しかし、当然のことながら、現代の科学は、こうした「運気」というものの存在は認めておらず、「占い」というものの科学的根拠も認めていない。

では、こうした「視線感応」や「以心伝心」、「予感」や「運気」「占い」といったものは、全く科学的根拠の無いものであろうか。それらは、「単なる偶然」「何かの錯覚」「ただの思い込み」にすぎないものであり、それらを信じる人々は、非科学的で迷信に惑わされやすい人々なのであろうか。

だが、目を転ずれば、「科学」ではなく、「宗教」の世界では、これらの「不思議な出来事」や「神秘的な現象」は、明確に存在するとされてきた。そして、現在も、地球上の圧倒的多数の人々が、何らかの「宗教」を信じているのである。

さらに、この「科学」と「宗教」の対立は、「死後の世界」の存在や「神」の存在という点において、それを否定する「科学」と、肯定する「宗教」の間で、最も鮮明かつ先鋭的なものとなっている。

では、もし現代科学が正しいならば、なぜ、いまも多くの人々が、宗教に帰依し、何らかの形で、死後の世界を信じ、神を信じようとしているのか。

それは、これほど科学が進歩したいまも、世界中の圧倒的多数の人々が、迷信に惑わされている姿であり、現世の苦悩から逃れ、死の恐怖から逃れるための幻想に浸っている姿なのか。

この「科学」と「宗教」の価値観の対立は、永い歴史の中で続いてきたが、その狭間で、我々の多くは、矛盾した意識と行動を余儀なくされてきた。

例えば、死後の世界の存在を否定する立場にある科学者でも、毎年、家族とともに墓参りに行き、墓前で「お祖父さん、お祖母さん、こうして家族みな、元気にやっています」と、当たり前のように祈る。

また、自分は無神論だという人でも、大切な家族が生死に係わる病気に罹り、深刻な事故に遭ったときには、その主義を忘れ、必ず「神仏」に祈るだろう。

　では、この「科学」と「宗教」の板挟みの状況を、我々は、どう受け止めるべきなのか。

　この「矛盾した価値観の共存」と呼ぶべき奇妙な状況、我々一人一人が、日常生活においては「科学的な価値観」を受け入れながら、いざ、人生の深遠な問題に向き合うときには、「宗教的な価値観」を受け入れるという状況。

　それこそが、二一世紀初頭における、我々人類の意識の現状である。

　されば、これは、いずれ「科学的価値観」が世界中の人々に浸透し、誰もが「宗教的価値観」を離れ、唯物論的価値観に一元化されていく「過渡期」の状況なのであろうか。

　それとも、これは、現代の「科学的知性」が、物質還元主義の古い枠組みを脱し、「宗教的叡智」と融合していく、新たな時代の「前夜」なのであろうか。

　近年、量子脳理論や量子生物学など、最先端の量子科学が、人間の「意識」の問題に全く新たな光を当てつつあるが、これから、二一世紀の科学は、宗教の価値観と叡智をも包摂する「器の大きな知の体系」へと、進化を遂げていくことになるのではないか。

　その予感が、筆者に、多くの批判を覚悟のうえで、大胆な仮説を述べた著書『死は存在しない』を書かせた。

謙虚さと感謝の「逆説」

かつて、ある書籍の対談で、臨床心理学者の河合隼雄氏と語り合ったが、そのとき、人間が身につけるべき「謙虚さ」について話題が及んだ。

学者としてだけでなく、数多くの心理カウンセリングの経験を積んでこられた河合隼雄氏。この対談においても、いつものように飄々とした風情で、様々な洞察を語られたが、この「謙虚さ」について語られた言葉が、いまも心に残っている。

人間、自分に本当の自信がなければ、
謙虚になれないのですよ。

その静かな言葉の奥にある人間洞察の鋭さに、深い感銘を覚えたが、同時に、この河合氏の言葉は逆説的でありながら、たしかに真実であると感じた。

なぜなら、筆者は、永くビジネスの世界を歩み、色々な人物を見てきたが、様々な場面で、同様のことを感じてきたからである。

例えば、部下に対して横柄な態度を示すリーダーを見ていると、その心の奥深くから、自信の無さが伝わってくるときがある。

また、声高に「俺は負けない！」と語り、虚勢を張る人物から、逆に、内心の自信の無さを感じるときがある。

その意味で、この河合氏の言葉、「人間、自分に本当の自信がなければ、謙虚になれない」は、真実であろう。

実際、世を見渡せば、「本当の自信がないために謙虚になれない人物」は、決して少なくない。いま、この一文を目にする読者の心にも、過去に巡り会った様々な人物の姿が浮かんでいるのではないか。

しかし、筆者の自省を込めて述べるならば、こうした鋭い人間洞察の言葉を、誰かに対する人物批評として使うことには、危うい落し穴がある。

世の中には、パスカルの『パンセ』、ラ・ロシュフーコーの『箴言《しんげん》集』を始め、鋭い人間洞察の言葉があるが、これらは、本来、「他人を評する」ための言葉ではない。それは、どこまでも、「自身の内面を見つめる」ための言葉であろう。

その姿勢で読むならば、我々は、河合氏の言葉から、深い内省の時間を持つことができる。

例えば、仕事で壁に突き当たり、自分に自信が無くなっているとき、なぜか、周りに虚勢を張っている自分がいることに気がつく。

また、自分が価値の無い人間ではないかと悩むとき、なぜか、素直に他人を褒められない自分がいることに気がつく。

もし、そのような内省をされる読者がいるならば、冒頭の対談で河合氏が語った、もう一つの言葉を紹介しておこう。

氏は、冒頭の言葉に続き、次の言葉を語った。

人間、本当の強さを身につけていないと、
感謝ができないのですよ。

これも、まさに、的確な指摘。

例えば、多忙を極める日々においても、部下に仕事を頼んだとき、相手が新入社員であっても、心を込め、「有り難う。助かったよ」と言えるリーダー。その姿からは、静かな強さとでも呼ぶべきものが伝わってくる。

また、人生において、自分が与えられているものに感謝することなく、自分が与えられていないものに対する不平や不満を漏らし続ける人物。そうした人物を見ていると、どこか、心の弱さを感じる。

では、どうすれば、我々は、その「自信」や「強さ」を身につけることができるのか。

実は、河合氏が語る「謙虚さ」と「自信」、「感謝」と「強さ」の関係は、その逆も真実である。

例えば、自分より若い人や立場の弱い人に対しても、決して驕らず、謙虚に処することを心掛けていると、自然に、心の深いところに「静かな自信」が芽生えてくる。

また、誰かとのトラブルが起こったとき、その相手や出来事に対して、「ああ、この出会いも、出来事も、自分の成長に必要な何かを教えてくれている。有り難い」と、心の中で感謝することを心掛けていると、自然に、心の深いところに「静かな強さ」が生まれてくる。

そして、この「静かな自信」と「静かな強さ」。

それこそが、我々が、生涯をかけて身につけていくべき「真の自信」であり、「真の強さ」に他ならない。

「我流」の落し穴

最初に、筆者の学生時代の失敗談を述べよう。

当時、スキーを習っていたことは、別の随想でも述べたが、ある程度上達した後、年配の熟練コーチから、コブの多い急斜面の滑り方について指導を受けたときのことである。

筆者は、二十代の若さであり、体力と反射神経に頼って、難しいコブの所に来ると、ポンと飛び跳ねて上手く滑っていた。

すると、それを見ていたコーチから、一言、厳しくアドバイスをされた。

「君は、この軽い雪だから、その我流の滑り方で滑れているが、
重い新雪になったら、その滑り方では、まったく滑れなくなるよ。
もっと、しっかりと、基本を身につけた方が良い」

これは、極めて重要なアドバイスであったのだが、それを重く受け止めず、その後も、同じような滑り方を続けていた。しかし、後日、新雪が降ったとき、コーチの指摘通り、まったく上手く滑ることができず、何度も転ぶ結果になった。

これは、筆者の若い時代の失敗談であるが、このときの経験から、「我流」に流されず、「基本」をしっかりと学び、「基本」に忠実に処することの大切さを学んだ。

そして、後に実社会に出て、このことは、スキーだけでなく、プロフェッショナルの仕事のすべてに共通する鉄則であることを理解した。

実際、分野を問わず、職業を問わず、一流のプロフェッショナルは、例外なく、しっかりとした「基本」を身につけている。

逆に言えば、それなりに頑張っているにもかかわらず、一流の世界まで到達できない人材は、これも、例外なくと言って良いほど、「基本」を疎《おろそ》かにしている。

あれから半世紀の歳月を重ね、自身が仕事の世界で、熟練のプロフェッショナルの道を歩むようになると、ときおり、器用に仕事をこなしているように見えて、我流に流され、基本を疎かにしている人材と巡り会うことがある。

そのとき、心に浮かぶのは、あの学生時代のスキー・コーチの言葉、「重い新雪になったら、まったく滑れなくなるよ」であるが、予想通り、この人材が、仕事で大きな失敗をしたり、成長が止まってしまう姿を、しばしば目にしてきた。

ときに、こうした人材に「仕事の基本」を教えるときもあるが、あの学生時代の筆者と同様、そのアドバイスを聞き流してしまう人も、少なくない。

こうした我流の人材は、結局、痛苦な失敗に直面して、ようやく、自身の問題に気がつくのであるが、残念ながら、しばしば「高い授業料」を払うことになってしまう。そして、何よりも、自身のチームに多大な迷惑をかけることになってしまう。

それゆえ、リーダーにとって、メンバーに、この「基本」を教えることは、優れたチームを作るために、最優先かつ不可欠の課題となる。

そのことを教えてくれるのが、かつて、プロ野球の巨人軍で、「守備の名手」として活躍し、後に、監督となって西武ライオンズを優勝に導いた広岡達朗氏のエピソードである。

広岡氏は、監督に就任して、まず、選手たち全員に「守備の基本」である「ゴロの捕球動作」から教えようとした。しかし、ベテランの選手たちは、

「それは分かっている」

「自分達が学ぶことではない」

と、その練習に参加しなかった。だが、それでも、広岡氏は、若手選手に熱心に守備の基本を教え続けたところ、彼らは目に見えて上達していった。

すると、その若手選手の成長する姿を見て、ある日、ベテランの選手が監督室にやってきて、

「俺たちにも教えてくれ」と言ったという。

これは、プロ野球界では有名なエピソードであるが、そこから、チーム全体が成長し始め、

遂に、優勝を手にしたのである。

このエピソードに象徴されるように、ビジネスの世界でも、ベテランの人材で、「基本」を疎かにし、「我流」に流されている人材は、ほとんどの場合、

「自分は、これでやってきた」

「自分は、これで実績を挙げてきた」

というプライドと慢心が、彼らの「成長の壁」になっている。そして、こうした人材は、自分が「基本」を疎かにしているため、自身のさらなる成長の可能性を潰し、仕事の飛躍の機会を失っていることに、気づかない。

実は、「成長の壁」に突き当たっている人材の多くは、この「我流の落し穴」に陥っているのだが、その根本には、心の中の「頑迷なエゴ」がある。

すなわち、「我流」の「我」とは、「自我」の「我」、「頑《かたく》ななエゴ」に他ならない。

第三部

「戦略的反射神経」の時代

第四次産業革命が求める人材　三つの能力

二〇二一年に発足した岸田政権は、その看板政策として「令和版・所得倍増計画」を掲げた。その後、各方面からの批判を受け、その政策は「資産所得倍増プラン」になったが、この政策の評価はさておき、近年、実質賃金が大きく低下する中で、国民の圧倒的多数は、所得の大幅向上を望んでいる。

では、国民の所得向上のために、政府が真に為すべきは、何か。

実は、いま、政府が直視すべきは、これから、国民の所得を低下させるばかりか、雇用そのものを破壊してしまう荒波が到来することである。

それは、「第四次産業革命」という荒波。

すなわち、これから、社会の隅々に、ロボティックスやAI、自動運転技術やドローン、VRや3Dプリンターなどの最先端技術が導入されていき、企業の生産性と収益性は向上していく。しかし、残念ながら、その収益は、多くの労働者には分配されず、むしろ、これらの技術で代替できる仕事に就いていた労働者は、仕事を奪われ、結果として、賃上げどころか、深刻な失業に直面することになる。

そして、この荒波の到来は、単なる理論的予測ではなく、この革命の先進国では、すでに現実となっている。

なかでも、特に深刻なのが「ＡＩ失業」である。

職場へのＡＩの導入が進むことによって、知識労働者も、その多くが仕事を失っていく。

特に、論理思考と専門知識だけで仕事をしていた人材は、確実にＡＩに淘汰されていく。

それは、花形職業と思われてきた弁護士や会計士、金融業も例外ではない。

では、この第四次産業革命によって必然的に生じる「雇用の喪失」を避けるには、どうすれば良いのか。どうすれば「所得の向上」を実現できるのか。

答えは明白である。

そのためには、労働者の「能力の向上」をこそ図らなければならない。特に、大量のＡＩ失業を避けるためには、知識労働に携わる人材は、産業と職種を問わず、ＡＩでは決して代替できない高度な能力を身につけなければならない。

では、その高度な能力とは、何か。

世界中の専門家は共通に、次の「三つの能力」を挙げているが、筆者の予測コメントを付して、述べておこう。

第一は「マネジメント」の能力である。しかし、マネジメントの中でも、資材管理や資金管理、人事管理やプロジェクト管理などの「管理」と名の付く仕事は、いずれ、その大半をＡＩが担うようになる。その結果、人間に残される高度な仕事は、メンバーの成長を支える「成長のマネジメント」や、メンバーの心を支える「心のマネジメント」になっていくだろう。すなわち、これからの時代、マネジメントに携わる人間は、コーチング的能力やカウンセリング的能力を身につけ、磨いていかなければならない。

また、権限や権力を背景にした「指示・命令型マネジメント」は、ＡＩでも代替できる水準のものであり、ＡＩ時代には、理念やビジョン、志や使命感、そして人間力に基づく「共感・支援型マネジメント」こそが、人間だけが行える洗練された仕事になっていくだろう。

第二は「ホスピタリティ」の能力。しかし、これも、「言語的コミュニケーション」による顧客対応は、いずれＡＩが代替していくようになる。そのため、人間に求められるのは、「非言語的コミュニケーション能力」、すなわち、顧客の無言の声に耳を傾け、相手の気持ちを察し、細やかに対応する高度な能力に基づく、極めて洗練されたホスピタリティ能力である。

第三は「クリエイティビティ」と呼ばれる能力。しかし、これも、新しい技術を発明したり、斬新なデザインを考案するといった高度な創造性は、誰でも発揮できるものではない。

むしろ、これからの時代に、誰もが身につけ、発揮できる創造性とは、人間集団の中にあって、その集団の「集合知」を活性化させ、その集団から新たなアイデアやコンセプトが生まれてくることを促せる能力、いわゆる「ファシリテーション能力」と呼ばれるものである。


いま、ＡＩ革命を例に挙げ、これからの時代に求められる人材の条件を述べたが、政府は、真に国民の雇用を守り、所得の向上をめざすのであれば、これから到来する第四次産業革命を超えていく人材の条件を具体的に示し、国民一人一人の能力開発を手厚く支援すべきであり、そのための戦略的な人材投資にこそ、最大の力を注ぐべきである。

ただし、それは、「ＡＩ時代には、ＡＩ技術者の育成を」といった視野の狭い人材投資論ではない。

それは、第四次産業革命の時代の先を見据えた、すべての職業・職種における能力開発の支援政策であり、世界に先駆けた、全く新たな「人材立国」のビジョンに他ならない。

なぜ、嫌いな人は、自分に似ているのか

嫌いな人は、実は、自分に似ている。

こう述べると、驚きを感じる人もいるだろう。

しかし、この言葉は、しばしば、真実である。

例えば、家庭などで、父親と娘が、よく意見がぶつかるという場合がある。

こうした状況を、よく見てみると、この父親と娘、遺伝的に互いの性格が似ているということが原因になっている場合も多い。

遺伝的には、娘が父親の性格に似て、息子が母親の性格に似るということは、しばしば起こると言われるが、この場合には、似た性格だからこそ、互いに父親と娘が、反発するということが起こっている。

また、例えば、企業などで、ときおり、こうした会話を耳にする。

会議で二人の課長の意見がぶつかり、少し感情的な議論になった後の参加者の会話である。

「A課長、何で、B課長の意見に
あんなに反対するのだろうか？

少し感情的な反対のような気もするんだが…」

「A課長は、B課長のことが嫌いなんだろうな」

「どうして、そう思う？」

「だって、そうだろう。A課長とB課長、
二人とも、性格が似ているんだよ…」

「なるほど…。やはり、そうか…」


では、なぜ、「自分に似ている人を、嫌いになる」、もしくは、「嫌いな人は、自分に似ている」ということが起こるのか。

これは、我々人間の心には、「自分の持つ嫌な面を持っている人を見ると、その人に対する嫌悪感が増幅される」という傾向があるからである。

そのため、「嫌いな人」の嫌いな部分を深く見つめるならば、自分の中にある嫌いな部分と同じであることに気がつく。すなわち、「自分に似ている」ということに気がつくのである。

これを、心理学の言葉で表現するならば、

他者への嫌悪の感情は、しばしば、
自己嫌悪の投影である。

という言葉になる。

たしかに、人間には、自分でも嫌いな「自分の欠点」を指摘されると、それを認めたくないため、感情的に反発したくなる心理があるが、同様に、相手の姿の中に、自分でも嫌いな「自分の欠点」を見ると、それを見たくないため、相手をますます嫌いになるという心理がある。

特に、相手の姿の中に、自分自身が心の奥深くに抑圧している「自分の嫌な面」を感じると、それが「自己嫌悪の投影」であることさえ気がつかず、相手に対する嫌悪感を抱くことがある。

そうした人間心理の機微を理解するならば、人生で「好きになれない人」や「嫌いな人」に出会ったとき、その人の持っている「欠点」や「嫌な面」が、自分の中にもあるのではないかと考えてみることも一つの方法であろう。

昔から語られる「相手の姿は、自分の心の鏡」という言葉は、この人間心理の機微を語った言葉でもある。

そして、「他者への嫌悪の感情は、しばしば、自己嫌悪の投影である」ということを理解するならば、我々は、もう一つ大切なことを理解しておく必要がある。

自分の中にある欠点を許せないと、
同様の欠点を持つ相手を許せない。

この「自分の中にある欠点を許す」ということは、実は、我々の深層意識の世界に関わる、深く難しい課題であり、容易なことではないが、我々は、この心の機微も、理解しておく必要がある。

古典に語られる、

自分を愛せない人間は、他人を愛せない

という言葉は、この心の機微の深みを語った言葉に他ならない。

「人生百年時代」の覚悟

プロ野球において、シーズン序盤に好投を見せ、順調に勝ち星を挙げていた投手が、夏場を迎えて調子を落とし、勝てなくなると、評論家が決まって語る言葉がある。

「彼は、シーズンオフの走り込みが足りなかったのですよ。だから、消耗が激しくなる夏場が来ると、スタミナ不足になるのです」

たしかに、プロ野球の世界では、どれほど優れた投球技術を持っている投手も、スタミナと呼ばれる基礎体力が無ければ、勝ち星を重ねることはできず、一流のエースと評価されることはない。

同様に、サッカーの世界でも、優れた運動神経を持ち、難しい体勢から見事なゴールを決める技術を持った選手でも、本当に一流のプロとしての真価が問われるのは、炎天下、前後半九〇分、延長戦三〇分を走り抜き、体力の限界において、ラストチャンスにパスされた難しい球を、確実にゴールに蹴り込めるか否かである。

このように、すべてのプロスポーツの世界では、優れた運動神経や技術だけでなく、強靭な基礎体力を持っていることが一流の条件である。それは、改めて論ずるまでもない、常識であろう。

しかし、不思議なことに、ビジネスの世界では、このプロフェッショナルの常識が理解されていない。

書籍や雑誌では、ビジネスのスキルの磨き方については盛んに書かれているが、ビジネスの基礎体力、すなわち、精神のスタミナの大切さと、それをいかにして身につけるかについては、ほとんど語られていない。

しかし、若い時代に、企画と営業の世界で修業をしてきた筆者の経験に照らすならば、ビジネスのスキルを見事に発揮するためには、相当なレベルの基礎体力が必要である。

例えば、営業において最も重要なスキルは「顧客の眼差しや表情から、無言のメッセージを読み取ること」であるが、そのスキルを発揮するためには、数時間の商談においても、集中力を切らさず、顧客に正対し続ける精神のスタミナが不可欠である。

また、プロフェッショナルの企画会議は、文字通り「知の格闘技」であり、参加メンバーには、智恵を出し尽くすための精神のスタミナが求められる。

しかし、残念ながら、いま、世の中を見渡すと、わずか一時間の会合でも集中力を切らしてしまう、精神の基礎体力の無いビジネスパーソンが、決して少なくない。

もし、このビジネスパーソンが、真に自身の才能を開花させたいと願うならば、様々なビジネス・スキルの本を読み漁るよりも、この精神の基礎体力をこそ、身につけ、鍛えていくべきであろう。

では、そのためには、どうすれば良いのか。

一つの方法は、毎週、最低でも二つ、自分の全力を尽くして処する会議や会合を持つことである。

逆に言えば、毎週、どれほどの数の会議や会合をこなしても、それらを、持てる力の八〇％や九〇％で流していると、確実に、基礎体力は落ちていく。

それは、アスリートの例を挙げれば明らかであろう。

例えば、走り高跳びで二・〇mを跳べる選手が、毎日一・八mや一・九mを跳び続けるならば、確実に力は落ちていく。この選手の力が伸びていくのは、二・一mや二・二mに挑戦し続けるからである。

しかし、こう述べると、「そうは言っても、やはり歳を取ると、体力が落ちていくのでは…」と思われる読者がいるかもしれない。

だが、そうではない。我々の肉体的体力は、四〇歳前後を超えると落ちていくが、精神的体力は、実は、六〇歳を超えても、なお高まっていく。

筆者は、それほど才能や肉体的体力に恵まれた人間ではないが、四九歳のときから経営大学院で教鞭を執り、毎週火曜日の夜、三時間連続で全霊を込めた講義を行ってきた。

しかし、正直に言えば、当時は、講義後、控室でしばし体を休めたくなった。

だが、その講義を二〇年以上続けた結果、いまでは三時間の講義が終わった後、さらに二時間のゼミを行えるほど、精神のスタミナは高まっている。

そして、その現実を見るとき、若き日から抱いてきた一つの謎が解ける。

なぜ、六〇歳を超えて、心理学者のユングは、あれほど膨大な著作を残すことができたのか、画家のピカソは、あれほど数々の作品を残すことができたのか。その謎である。

実は、我々は、精神の基礎体力を鍛え続けるならば、六〇歳を超えても、まだまだ素晴らしい可能性を開花させていくことができるのである。

ただし、そのために求められるのは、一つの覚悟。

年齢による「自己限定」をしない。

「人生百年時代」において、我々に問われるのは、その覚悟であろう。

「進歩史観」の過信

いま、「歴史」というものを見つめるとき、懐かしい言葉が、一つの疑問とともに、心に浮かんでくる。

それは、「進歩史観」という言葉。

すなわち、「歴史は、必ず『人類の進歩』に向かって進んでいる」という歴史観である。

例えば、

第一　世界は、奴隷制、貴族制、独裁制などの様々な形態を経ながらも、必ず、民主制、すなわち、民主主義に向かっていく

第二　世界は、貧富の差はありながらも、全体は豊かになっていく。そして、いずれ、貧富の差も縮小していく

第三　世界は、これまで、様々な紛争や戦争を経験してきたが、いずれ、国際秩序を確立し、恒久平和を実現していく

第四　世界は、人流、物流、金流、情報流のグローバリゼーションが進み、いずれ、一つの

巨大な経済圏になっていく

第五　人類の科学技術は、これからも発展を続け、その恩恵によって、必ず、人類全体に繁栄と幸福をもたらしていく

といった考えが「進歩史観」と呼ばれるものであり、これまで多くの歴史家の背後にあった思想であるが、いま、多くの人々は、この歴史観に疑問を抱いているだろう。

なぜなら、世界の現実は、

第一　ソ連や東欧の専制主義国家の崩壊によって、世界は民主主義の方向に向かうと思われたが、実際には、現在、民主主義体制の下にある国よりも専制主義体制の下にある国が増えている

第二　資本主義の発展によって、世界全体は豊かになり、貧富の差は縮まっていくと思われたが、現実には、世界全体での貧富の差は、人類史上、最大になっており、また、各国内での経済格差も、ますます広がっている

第三　冷戦終結によって、もはや大規模な戦争は起こらないと思われたが、実際には、世界各地での紛争や戦争は増加し、遂には、ロシアによるウクライナ侵攻が起こり、人類全体は、ふたたび核戦争の危機に直面している

第四　コロナ危機により、世界規模での人流と物流の停止を経験し、また、ウクライナ危機

により、エネルギーと食糧の争奪戦が激化し、世界は、相互依存のグローバル経済（世界一体経済）ではなく、他国に依存しない一国自立経済の模索に向かっている

第五　科学技術の発達は、人類全体に恩恵を与え、人々の幸福感を高めていくと思われたが、現実には、科学技術の発展と物質的繁栄だけでは幸福感を得られず、多くの人々が宗教倫理に回帰する傾向が生まれている。

すなわち、いま、世界の現実は、「進歩史観」から見れば、様々な「逆行」が生じているのである。

では、それは、なぜか。

それは、「民主主義」や「資本主義」、「平和主義」や「国際主義」、そして「科学技術」が、いまだ十分に「成熟」を遂げていないからである。

例えば、いま、世界に「専制主義」が広がっているのは、現在の「民主主義」が、「意思決定に手間と時間がかかる」「政策の継続性が失われる」「ポピュリズムが蔓延する」など、まだ多くの問題を抱えているからであり、「民主主義」が、そうした問題を抱えている限り、「専制主義」は、容易に、しばしば、復活してくるだろう。

同様に、現在の「資本主義」が、人類全体を豊かにせず、貧富の差を拡大しているのは、まだ「資本主義」が、富の最適配分やＳＤＧｓなどを包摂したものになっておらず、十分な成熟

象徴される。

そして、こうしたことが起こる背景には、一九九〇年前後に、ソ連や東欧などの「専制主義国家」「社会主義国家」が、次々と崩壊したことによって、「民主主義と資本主義は、歴史的な勝利を収めた！」という過信と慢心が生まれ、「民主主義」や「資本主義」そのものを、さらに改革し、成熟したものへと変えていく努力を怠ったからである。

同様のことは、「平和主義」や「国際主義」にも起こっている。冷戦終結とともに、「これからはパックス・アメリカーナの時代だ！」「これからは、グローバリゼーションの時代だ！」と思い込み、大規模戦争が起こる可能性を過小評価し、極端な他国依存を強めていったことの、「反動」と「揺り戻し」が起こっているのが現実であろう。

そして、「科学技術」もまた、物資的豊かさが人々を幸福にするという思い込みによって、宗教倫理の重要性に目を向けることを怠ってきた。

こうした過信と思い込みの代償を、我々人類は、しばし支払うことになるだろう。

しかし、その痛苦な経験の先に、真の希望が生まれてくることを信じたい。

「透明な感性」が現れるとき

我が国の幼稚園や小学校などの教育理念を読むと、しばしば「豊かな感性を育む」といった言葉が書かれている。

しかし、この「感性」という言葉、実は、その定義は極めて曖昧であり、それを身につけるための具体的な方法も、明確ではない。

だが、そうした学校教育の視点を離れ、人生において、どのようなとき、我々の中から瑞々《みずみず》しい感性が現れてくるのかを考えるならば、先人たちが遺した、心に残るエピソードが、いくつも心に浮かぶ。

例えば、「残照」「道」「光昏《こうこん》」などの作品で知られる日本画の巨匠、東山魁夷《かいい》氏。氏は、若い頃、なかなか自らの才能を開花させることができず、世の評価を受けることもできず、苦悩の時代を過ごしていた。

しかし、運命であろうか、氏は太平洋戦争の末期、軍隊に召集され、熊本の地で、爆弾を抱えて敵の戦車に体当たりする特攻隊の訓練を受ける。そうしたある日、氏は、熊本城の天守閣から肥後平野の風景と、遠く阿蘇の風景を見て、涙が落ちるほどの深い感動を覚える。そして、その感動の中で、東山氏の心には、切なる思いが湧き上がってくる。

「これを、なぜ描かなかったのだろうか。いまはもう、絵を描くという望みはおろか、生きる希望も無くなったというのに、もし万一、再び絵筆をとれる時が来たなら、恐らく、そんな時はもう来ないだろうが、私は、この感動を、いまの気持ちで描こう」

しかし、これも天命か。東山氏は、戦車への特攻で死ぬことなく終戦を迎え、日本画の世界に戻る。そして、その瑞々しい感性と才能を見事に開花させ、巨匠への道を歩んだのである。

あのとき、氏の心に、風景が輝いて見えたのは、絵を描く望みも、生きる望みも絶たれたからであり、すべてを諦め、死を覚悟したとき、静かで透明な心境が訪れたからであろう。そして、そのとき、心の奥深くから現れてきた透明な感性が、東山氏の才能を開花させ、多くの人々が感動する絵を描かせたのであろう。

では、なぜ、死を覚悟するとき、心の奥深くから透明な感性が立ち現れてくるのか。

この同様の体験を語った人物が、もう一人いる。

多くの読者の深い共感を呼んだ手記『飛鳥《あすか》へ、そしてまだ見ぬ子へ』の著者であり、若くして悪性腫瘍で他界した医師、井村和清氏である。

氏は、病院での検査の結果、自分の命が長くないことを知り、その日の夕刻、自宅に帰ってくる。そして、駐車場に車を止めながら、不思議な光景を見る。

「世の中が輝いて見えるのです。スーパーに来る買い物客が輝いている。走りまわる子供たちが輝いている。犬が、稲穂が、小石までもが美しく輝いて見えるのです。そして、自宅に戻って見た妻もまた、手を合わせたいほど尊く見えたのです」

実は、筆者も、四〇年前、同じ光景を見た。

それは、やはり、生死の境の大病を与えられ、医者から見放され、死を覚悟した瞬間である。

しかし、その絶望の底で、不思議なことに、すべての光景が、静かに輝いて見えたのである。

では、この透明な心境と感性は、死を覚悟しなければ現れてこないのか。

いや、死というものを直視するだけで、瑞々しい感覚と感性は、現れてくるのであろう。

例えば、その素晴らしい感性で、見事な才能を開花させた、アップル創業者、スティーブ・

ジョブズ。彼は、スタンフォード大学の卒業式でのスピーチで、こう語っている。

「私は毎朝、鏡の中の自分を見つめながら、こう自問し続けてきた。『もし今日が、人生最後の日なら、今日やろうとしていることを、本当にやりたいだろうか』と」

彼もまた、毎日、死というものを直視して生きてきた。そして、その生き方が、彼の中から素晴らしい才能を開花させたのであろう。

しかし、ジョブズの才能に憧れる人は多いが、死を直視した彼の生き方に学ぶ人は少ない。なぜなら、死を直視することは、苦痛を伴う営みであり、決して容易なことではないからである。それゆえ、ある文化人類学者は、「人類の文化は、すべて、死を忘れるために生まれてきた」との極言さえ遺している。

されば、我々は、あのラテン語の格言を、心に抱いて生きるべきであろう。

「メメント・モリ」（死を想え）

そのとき、心の奥深くから、透明な感性が現れ、想像を超えた才能が開花する。

ＡＩの時代からＩＡの時代へ

二一世紀に入り、さらに加速度をつけて発展している科学技術。それを象徴する、三次元プリンター、ドローン、自動運転車、ロボティックス、人工知能などの新たな技術。

こうした最先端技術に支えられた機械文明は、これから人類に、何をもたらすのか。

そのことを考えるとき、古い世代には良く知られている二つの漫画を思い出す。

一つは、手塚治虫の描いた『鉄腕アトム』。

一つは、石ノ森章太郎の描いた『サイボーグ００９』。

どちらも、科学技術の発展と機械文明が生み出した二人のヒーローであるが、実は、この二人、本質的には、全く違ったヒーローである。

なぜなら、鉄腕アトムは、どれほど愛らしい性格を与えられていても、やはりロボットであり、その本質は「機械」である。

これに対し、００９は、最先端の科学技術によって人間の肉体を改造し、機械の力によって腕力や走力、視力や聴力などを圧倒的に高めたサイボーグであるが、その本質は、どこまでも

「人間」である。

この違いを、ロボティックスの分野では、「ロボット・パラダイム」と「サイボーグ・パラダイム」と呼び分けているが、ロボット・パラダイムとは、基本的に「機械に圧倒的な能力を発揮させる」という発想であるのに対し、サイボーグ・パラダイムとは、「人間の能力を、科学技術と機械を使って、どこまでも高めていく」という発想である。

そして、実は、この二つのパラダイムの違いは、これからの科学技術と人間の関係を考えるとき、極めて重要な視点になっていく。

なぜなら、この「ロボティックス技術」と同時に、いま、人間社会に広がっていこうとしているのが、「人工知能技術」だからである。

この人工知能は、すでに、チェス、将棋、囲碁において、世界チャンピオンや名人を打ち負かしていることに象徴されるように、いま、急速に、人間の能力を凌駕する発達を遂げている。

それは、ゲームの領域においてだけではない。ビジネスや学問研究の領域においても、これまで人間が担っていた仕事を代替するようになっている。

例えば、米国の金融業では、かつて六〇〇人いた株式トレーダーが、人工知能の導入によって二人になり、欧米の大手弁護士事務所では、契約書確認や法務調査などの仕事の多くが、人工知能によって代替されるようになったが、専門知識と論理思考で仕事をしている弁護士や会計士などの「士（サムライ）業」は、近い将来、半分が不要になると言われている。

さらには、「いま、どの道路を流すと客を拾えるか」「今夜は、どの地域で犯罪が起こりそうか」といったベテランのタクシー運転手や警察官の「勘」さえも、人工知能で代替されるようになっている。

このように、これからの時代、これまで人間が担ってきた仕事の多くが、人工知能によって置き換わっていくだろう。

それゆえ、こうした変化の中で、我々が、しばしば陥ってしまうのは、「人工知能にはかなわない」「人工知能に仕事を奪われてしまう」という強迫観念であり、人工知能を、人間に「対立する」ものとして捉える発想であろう。

しかし、こうした時代において、我々に真に問われているのは、実は、先ほど述べた「ロボット・パラダイム」と「サイボーグ・パラダイム」の、いずれに立脚して人工知能技術を見つめるかである。

言葉を換えれば、人工知能（Artificial Intelligence：ＡＩ）というものを、「圧倒的な知能を持つコンピュータ」として捉えるのか、「人間の知能を圧倒的に拡張する技術」、すなわち、「知能拡張技術」（Intelligence Amplifier：ＩＡ）として捉えるのか、それが問われているのである。

いま、「人工知能革命によって生き残れる人、生き残れない人」といった議論が世の中に溢れているが、その議論の前に我々が定めるべきは、

「人工知能技術」（ＡＩ）の本質は
「知能拡張技術」（ＩＡ）に他ならない

という認識であろう。

実際、ＡＩは、ビジネスにおいては、極めて有能な秘書になり、学問研究においては、優秀な研究助手になり、知的創造に携わる人間にとっては、常に知的刺激を与えてくれる良きパートナーになっていくだろう。

されば、これからの人工知能革命の時代において、我々が定めるべきは、

「人間の能力は、最先端の科学技術をもってしても、測り尽くせぬほどの奥深さがある」

という、深遠な人間観に他ならない。

「無」と「空」の持つ力

筆者は、幾つもの職業を持っているが、その一つは、こうした随想や論考を書く文筆業であり、一つは、様々な場に講師として招かれる講演業である。

そのため、筆者の講演を聴かれた方から、ときおり、話術の極意を訊かれることがある。

筆者は、話術のプロフェッショナルとして数十年、修業を続けている、いまだ道半ばの人間であるが、話術というものの要諦については、一つの明確な考え、逆説的と呼ぶべき考えを持っている。

すなわち、それが話術であるかぎり、「いかなる言葉を語るか」「どのように言葉を語るか」ということは大切なことであるが、永年の修業を経て辿り着いた要諦は、実は、「いかに言葉を語らないか」である。換言すれば、話をするとき、いかに「間」を取り、「沈黙」の瞬間を持つかということが、語る言葉を引き立たせるための要諦である。

このことは、あるレベルを超えた話術のプロフェッショナルならば、誰もが分かっていることであるが、実は、これは、決して「話術」の世界だけの話ではない。

筆者のもう一つの職業である「文章」の世界においても、同様である。

文章を書くとき、巧みな言葉を選び、卓抜なレトリックを駆使することは大切であるが、一流の文筆家ならば、必ず、「行間」や「文末」に深い思いを込めることができる。すなわち、文字の無い部分で、大切なメッセージを伝えることができるのである。それゆえ、昔から「読書」の世界では、「行間を読む」ことや「文末の余韻を味わう」ことの大切さが語られてきた。

そして、このことは、話術や文章という「言葉」の世界だけの話ではない。

それは、「音楽」の世界も同様である。楽器の演奏において、一流の演奏家ならば、良い音を奏でることは当然であり、彼らは、その水準を超え、「無音」の瞬間を、見事に、創造的に使っている。

さらに、「絵画」の世界でも、一流の画家は、巧みな色彩の組合せで対象を表現するが、やはり、最も高度な技術は、色の無い状態、すなわち、「白」の使い方であると言われる。

こう述べてくると、それが話術であれ、文章であれ、音楽であれ、絵画であれ、一流のプロフェッショナルの最高度の技術には、共通するものがあることに気がつく。

すなわち、それらの技術は、いずれも、「間」や「沈黙」、「行間」や「文末」、「無音」や「白」といったもの、東洋思想的に述べるならば、「無」や「空」と呼ぶべきものに、深い意味を持たせているのである。

では、それは、話術や文章、音楽や絵画という「表現」の世界だけの共通の真実なのか。

そうではない。実は、「表現」(expression) の対極にある行為、「感受」(impression) の世界においても、それは真実である。

例えば、「感受」の世界の最も深い次元である「宗教」の世界においても、「悟り」や「光明」を得るために、この「無」と「空」が、極めて大切な意味を持っている。

キリスト教の神秘思想に「静寂主義」(Quietism) と呼ばれるものがあるが、これは、生活における「静寂」を重視し、「沈黙」を続ける行を通じて光明に至ることをめざす宗教思想である。

また、禅の曹洞宗の修行法は「只管打坐《しかんたざ》」、すなわち、ただ座り続けることを通じて悟りに至ることをめざすものであるが、これも、心の中の声が消える無念無想の「沈黙」を続ける行に他ならない。

しかし、この「静寂」や「沈黙」が、我々の意識に深い変容をもたらすことは、「宗教」の世界だけでなく、最先端の「科学」の世界でも起こる。

かつて、有人での月面着陸をめざした米国のアポロ計画で、宇宙遊泳を体験した宇宙飛行士、ラッセル・シュワイカートは、そのときの神秘的な体験を語っている。

彼は、アポロ九号の船外で宇宙遊泳の活動をしていたとき、母船との連絡が途絶え、数分間、全くの「静寂」の中で、遥か足下にある地球を眺めることになった。

このとき、突如、地球と自分が一体化したような神秘的な感覚、「惑星意識」とでも呼ぶべきものを体験したと、彼は語っている。

このように、「静寂」や「沈黙」が、我々の意識に深い変容をもたらすことは、普遍的真実である。

では、この「無」や「空」というものが持つ、不思議な力。

それを、いかに自らの力とするか。

まずは、日々、自己の内面を見つめる「沈黙」の時間を持つこと。

そのとき、我々の精神の深化が始まる。

才能の開花を妨げる「迷信」

世の中に、自分の才能を開花させたいと願う人は多いが、その願い通り、自分の中に眠る才能を開花させる人は少ない。

それは、なぜであろうか。

その一つの理由を教えてくれる、興味深いエピソードがある。

何年も前のことであるが、あるテレビ番組で、世界的なチェロ奏者、ミッシャ・マイスキーが、子供たちに音楽を教えていた。

そして、その番組の中で、マイスキーは、子供たちに、一つのクイズを出した。

そのクイズとは、バッハの無伴奏チェロ組曲の同じ曲について、三人のチェロ奏者の演奏録音を聴かせ、誰が最も若い年齢の演奏者で、誰が最も歳を取った演奏者かを、当てさせるというものであった。

しかし、このクイズの結果は、静かな驚きを禁じえないものであった。

子供たち全員が、「最も歳を取った演奏者の重厚な演奏」と感じたのは、実は、若い頃のマイスキーの演奏であった。

そして、同様に、子供たち全員が、「最も若い年齢の演奏者の軽快な演奏」と感じたのが、それから一六年の歳月を経た、最近のマイスキーの演奏であった。

伸びやかに、軽やかに、その精神の若々しさを感じさせる演奏は、ソビエト抑留の苦難の歳月を経て、年輪を重ねたマイスキーのものであった。

このマイスキーの演奏を聴くとき、我々は、いま、世の多くの人々が「常識」と思って信じていることが、実は、一つの「迷信」であることに、気がつく。

人は、歳を取ると

精神の若さと瑞々しさを失っていく。

実は、我々が、歳を取るにつれ、精神の若さと瑞々しさを失っていくのは、多くの人々が信じる、その「迷信」によって、それが真実であると思い込み、無意識に「自己限定」をしてしまうからに他ならない。

そして、実は、そうした無意識の「自己限定」は、世に溢れている。

例えば、社内での企画会議において、年配の男性上司が語る、次のような一言。

「ここは、君たち女性スタッフの、細やかな感性で、
何か、良いアイデアはないだろうか…」

もとより、この上司には、悪意も他意も無い。しかし、こうした言葉が、その裏返しに、自分自身と周りの男性スタッフに、「男性には、細やかな感性が欠けている」という無意識の「自己限定」を刷り込んでしまっていることに気がつかない。

だが、改めて「ジェンダー論」を述べるまでもなく、すべての男性の中に「男性性」と「女性性」があり、すべての女性の中に「女性性」と「男性性」がある。

それゆえ、当然のことながら、男性であっても、「細やかな感性」を開花させていくことはできる。そして、周りを見渡せば、そうした男性は、決して少なくない。

されば、我々の才能や可能性の開花を妨げているのは、実は、「男性は、細やかな感性が欠

けている」「女性は、論理的に考える力が弱い」「老人は、瑞々しさを失う」「若者は、思慮が浅い」といった「迷信」とも呼ぶべき「思い込み」であり、それによる無意識の「自己限定」に他ならない。

しかし、もし我々が、それが「思い込み」であり「迷信」であることに気がつくならば、そこから確実に、我々の中に眠る可能性が開花し始める。

そして、そのとき、「古い迷信」が消え去り、二一世紀の「新たな常識」が生まれてくる。

人は、永き歳月を歩み、
人生の苦難を乗り越えていくほどに、
精神は、若く瑞々しくなっていく。

マイスキーのエピソードが教えてくれるのは、その「新たな常識」であろう。

「戦略的反射神経」の時代

一九八七年、筆者は、米国のバテル記念研究所に、研究員として着任した。ゼロックスの基本技術であるゼログラフィーの発明や、ホログラム、バーコードなどの開発でも知られる、この世界最大の技術系シンクタンクは、実際の技術開発や事業開発を行うという意味で、「シンクタンク」(Think Tank) と呼ぶよりも「ドゥタンク」(Do Tank) と呼ぶべき組織であった。

この組織に着任して、筆者が最初に感銘を受けたのは、配属された部門の上司が、こう述べたことであった。

「この研究所で高く評価されるのは、クリエイティブ (創造的) な人間ではない。

イノベーティブ (革新的) な人間だ」

この言葉は「バテル記念研究所では、単に創造的なアイデアを出すだけの人間は評価されない。そのアイデアを実現することによって現実を変革し、社会にイノベーションをもたらすことのできる人間こそが評価される」という意味であった。

こうした考えは、いまではグーグルを始めとするシリコンバレーの革新的企業では常識となっているが、設立の一九二九年から、こうした現実変革の思想を語っていたことが、この研究所の真骨頂であろう。

後年、筆者が、日本総合研究所の設立に際して「ドゥタンク」のビジョンを掲げ、異業種コンソーシアムの戦略による技術開発と事業開発に取り組んだ背景には、このバテル記念研究所時代の学びがある。

この日本総合研究所では、戦略担当役員として数々のコンソーシアム設立と新事業開発に取り組んだが、この時代の体験からも、深く学んだことがある。

それは、この時代、優秀なスタッフに恵まれ、彼らが様々な新事業企画を魅力的に提案してきたが、実際に事業化のゴーサインを出してスタートすると、どれほど深く考え抜いたつもりの新事業開発の戦略も計画も、必ず生々しい現実に直面し、数々の予想外の問題に遭遇したことである。

その体験から、変化し続ける現実と格闘し、次々と生じる問題を乗り越え、その新事業開発戦略を前に進めていける人材に求められる「究極の能力」が何であるかを知った。

それは「戦略的反射神経」と呼ぶべきもの。

この「戦略的反射神経」とは、永年の体験から生み出した筆者の造語であるが、目の前の現実が予想外の展開をしたとき、状況の変化を瞬時に判断し、速やかに戦略を修正しながら、その新事業を前に進めていく能力のことである。

それは「論理思考」ではなく「直観判断」の能力であり、「身体感覚」と呼ぶべきものであるが、野球に喩えるならば、「予想外の球が来たとき、体勢を崩しながらも、ヒットに持っていく反射神経」のことである。

これは、戦略というものを「理論」として議論するのではなく、「現実」と格闘しながら実行してきた人間ならば、誰もが納得する真実であろう。

そして、これからの時代には、この「戦略的反射神経」と呼ぶべき能力が、ますます重要になっていく。なぜなら、年々、変化が加速していく現代においては、新事業を巡る技術や商品、市場や社会の環境も、日々、急速に変化していくからである。

それゆえ、筆者は、この時代に求められる戦略思考を、「波乗りの戦略思考」と呼んでいる。

すなわち、サーフィンというスポーツが、刻々と変化する波を、反射神経によって乗りこなしながら、目的の方向に進んでいくものであるように、これからの時代の戦略思考は、「戦略的反射神経」による「波乗りの戦略思考」に向かっていく。

しかし、それにもかかわらず、いまだに、古い戦略思考で新事業に取り組んでいる企業も経営者も、少なくない。

それは「山登りの戦略思考」と呼ぶべきもの。山登りにおいては、地図を広げ、頂上までのルートを定め、そのルートを計画的に登っていくが、現代の市場や社会は、その地図や地形そのものが刻々変化している状況であり、ルートも臨機応変に変化させていかなければならない。

この「波乗りの戦略思考」と「戦略的反射神経」の考えは、二〇〇一年に上梓した『まず、戦略思考を変えよ』という著書で語ったことであるが、二〇年余りを経て、こうした思考は、ますます重要になっている。

では、どうすれば、この「戦略的反射神経」を身につけることができるのか。

もとより、こうした高度な能力を身につける、安易な方法は無い。

しかし、この能力を身につけるための大切な覚悟を、一つ、述べておこう。

戦略思考とは、身体感覚と直観判断を駆使した「最高のアート」である。

そのことを覚悟したとき、目の前の戦略的盤面が、輝いて見えてくるだろう。

「共生」という思想を超えて

一九七七年にノーベル化学賞を受賞した、イリヤ・プリゴジン博士が、かつて、その著作の中で、次の言葉を述べている。

我々人間は、自然から生まれて、
なお、自然の一部である。

この思想は、二一世紀において、極めて重要な思想となっていくだろう。

なぜなら、我々は、永く続いた欧米文化の影響で、「自然」と「人工」というものが、対立的な概念であると教えられてきたからである。

しかし、年々激化する気候危機を始め、様々な地球環境問題に賢明に処するためには、実は、この概念そのものを、再考する必要がある。

そして、その再考のために重要な示唆を与えてくれるのが、『ソラリスの陽のもとに』などの作品で知られるＳＦ作家スタニスワフ・レムの問題提起である。

彼は、ある随想の中で、次の問題を提起している。

我々は、森の中で蜂の巣を見つけたとき、
その美しい六角形の幾何学模様の巣の形を見て、
自然の造形は、何と美しいのか、と感じるだろう。
そのとき、我々は、それを「自然」の営みと思い、決して「蜂工」とは思わない。
しかし、我々は、人間が作ったものを「人工」と考え、
自然が作ったものを「自然」と考える。
それは、なぜか？

このスタニスワフ・レムの問いかけに対する答えは、明確であろう。

欧米文化においては、「自然」というものは、常に、「人間」の科学や技術によって「征服」されるべき対象であったからである。そのことが、「自然」と「人工」を対立的な概念とする思想を生み出してきたのである。

そして、この欧米文化に由来する思想が、近年の日本文化にも強い影響を与えている。

その一つの象徴が、深刻化する地球環境問題の中で、しばしば使われるようになった「共生」という言葉であろう。すなわち、自然環境や地球環境を破壊することなく、「人間」と「自然」が共生するという思想である。

この言葉は、いまや、環境問題を語るとき、必ず使われるキーワードとなっているが、実は、日本の文化において自然を語るとき、この言葉は、最も深い思想を述べた言葉ではない。

なぜなら、この「共生」という言葉は、善き願いを込めた言葉ではあるが、その背後に、依然として、「人間」と「自然」を別なものと考える思想が潜んでいるからである。

そのことは、この「共生」という言葉を、英語に訳してみれば明確であろう。

「共生」は、英語にすれば“Living with Nature”。

すなわち「自然と共に生きる」である。

では、日本には、どのような思想があるか。

「自然（じねん）」の思想である。

これは、仏教においては「自然法爾《じねんほうに》」などの言葉としても使われるが、その意味は、文字通り「自ずから然る」。これも英語に訳してみると、その意味が明瞭に見えてくる。

「自然（じねん）」とは英語にすれば“Living as Nature”。

すなわち「自然として生きる」である。

なぜなら、欧米とは異なり、この日本という国においては、「自然」とは科学や技術によって「征服」する対象ではなかったからである。

日本人にとって、「自然」とは、我々「人間」を生み出し、育て、優しく見守る「大いなる母」のごとき存在であった。その背景には、この日本という国に永く伝えられてきた「自然崇拝」や「自然信仰」の宗教的思想がある。

この「共生」という思想と、「自然（じねん）」という思想。英語にすれば、わずか一語、“with”と“as”の違いであるが、その意味の違いは、実は、極めて深い。

二一世紀、直面する地球環境問題を解決していくために求められるのは、新たな科学や技術、法律や制度だけではない。

真に求められるべきは、「自然」というものを、どう見つめるか。

その「自然観」の根本的な転換である。

されば、この日本という国が、人類の「自然観」の転換に果たすべき役割は、極めて大きい。

静かな強さ

遠い昔、新入社員として働き始めたころ、一人の上司が、食事に誘ってくれた。
静かなレストランで楽しく時を過ごし、食事を終え、最後のコーヒーを飲んでいるとき、その物静かな上司が、ふと、独り言のように、語り始めた。

毎日、会社で色々な問題にぶつかり、苦労するよ。
そのときは、組織に問題があると思ったり、周りの誰かに責任があると思って、腹を立てたりもするのだけれど、
家に帰って、一人で静かに考えていると、いつも、一つの結論にたどり着く。

すべては、自分に原因がある。

そのことに気がつくのだね…。

その言葉を聞いたとき、それは、仕事の苦労を述懐しているのかと思ったのだが、帰途につき、一人、夜道を歩いていると、ふと、その言葉が心に蘇ってきた。そして、気がついた。

あの上司は、自らを語る姿を通して、若く未熟な一人の人間に、大切なことを教えてくれていた。

「引き受け」

すべてを、自分自身の責任として、引き受けること。

それは、決して容易なことではないが、その心の姿勢を大切に歩むならば、我々は、確実に、一人の職業人として、一人の人間として、成長できる。

逆に、我々が成長の壁に突き当たるときは、この「引き受け」ができない。

苦労や困難、失敗や挫折、何が起こっても、常に、自分以外の誰かに、そして、自分以外の何かに、その原因を求めようとしてしまう。

その背後には、我々の心の中の「小さなエゴ」の蠢きがある。

その「小さなエゴ」は、常に、我々の心の奥深くで、「俺は、悪くない」「私は、間違っていない」と叫び続けている。

そして、我々の心が強くなければ、自身の心の奥深くで蠢く、その「小さなエゴ」の姿を見つめることさえ、避けてしまう。

では、どうすれば、我々は、この「引き受け」ができるようになるのか。
そのことを考えるとき、相撲界における、一つのエピソードを思い起こす。
現役時代、大関として活躍した、ある親方が、膝の故障で長期の休場を余儀なくされた苦難の時期を振り返り、こう述懐した。

「絶好調に慢心していた、あの頃の私は、挫折を、しなければならなかったのです。
あの挫折によって、私は、多くのことを学びました」

この言葉の奥にある、人生の出来事を深く解釈する力。

人生において、自分に与えられた
苦労や困難、失敗や敗北、挫折や喪失は、
自身の成長のために、天が与えたものである。

されば、いま、この出来事から、
自分は、何を学ぶべきか。
いかなる成長を遂げるべきか。

その「解釈力」を身につけたとき、我々は、自然に、与えられた出来事の「引き受け」ができるようになる。

そして、人生と仕事において、苦労や困難、失敗や挫折を味わいながらも、この「解釈力」を身につけ、「引き受け」の覚悟を定め、道を歩むとき、いつか、自分に一つの「強さ」が身についていることに気がつく。

静かな強さ

それは、「誰かに勝つ」「競争に勝つ」という強さを超えた、人間が、その人生を通じて身につけていくべき「真の強さ」に他ならない。

あのとき、あの物静かな上司から伝わってきたものは、その強さであった。

「褒める技術」の落し穴

過日、あるテレビ番組で、「上司が褒めてくれない」という若手社員の不満について、特集をしていた。

その番組コーナーでは、「自分の上司は、絶対に仕事を褒めてくれない。褒めると負けだと思っているのだろう」という若手社員の声とともに、「もう学生ではないのだから、褒めて欲しいという甘えは捨てるべきだ」という上司の声を紹介していた。

恐らく、この二つの声を聞いて、読者の多くは、「いまの若手社員は、褒めてあげなければやる気にならないのでは…」「やはり、上司としては、上手く部下を褒めることができなければ、部下はついてこないのでは…」といった感想を持たれるだろう。

そうした世の中の空気もあり、近年、管理職に良く読まれているのが「褒める技術」や「褒める言葉」などのタイトルの書籍や雑誌特集である。

もとより、マネジメントにおいて、部下を適切なタイミングで、適切なポイントを「褒める」ことは、仕事への意欲を高め、成長を促すという意味で、極めて重要なことであろう。

実際、自身の若手社員の時代を振り返ると、未熟な筆者の良い所を見つめ、褒めてくれる何人もの上司に巡り会った。それらの上司の言葉で、筆者は、難しい仕事に取り組むときも勇気づけられ、拙い歩みながらも、自身の中に眠る可能性を開き、こうして成長してくることができた。

しかし、昨今の「褒める技術」や「褒める言葉」といったものに依拠したマネジメント論を見ていると、そこに「危うい落し穴」を見るのは、決して筆者だけではないだろう。

その「落し穴」とは、一言で述べれば、「操作主義」の落し穴である。

すなわち、こうした「褒める技術や言葉」といったものを用いるとき、しばしば、その上司の心の中に、「こうして褒めれば、部下は喜んで、自分についてくる」「このように褒めれば、部下のモチベーションが上がり、仕事の成果が上がる」といった発想、換言すれば、「部下を自分の思うように動かしたい」という密やかな「操作主義」が忍び込むのである。

しかし、もし上司が、こうした「操作主義」の発想を心に抱いたまま「褒める技術や言葉」を使うならば、部下は、上司の心の中の「自己中心の発想」や「無意識の傲慢さ」を感じ取るがゆえに、こうした技術や言葉は、決して良い結果をもたらさない。

では、どうすれば良いのか。

我々は、部下を褒めるとき、どのような心構えで、褒めるべきなのか。

そのことを筆者に教えてくれた、ある経営者のエピソードがある。

それは、ある企業の全社員、二千人が、全国の支店から一堂に集った全社総会でのこと。その場に来賓として招かれた筆者は、不思議な光景を見た。

それは、全国の支店から、次々と事業進捗報告がなされた一日の終わり、その企業の社長が、最後の総括の挨拶に登壇したときのことである。

その社長は、ただ「北海道支店のみんな、素晴らしい前進だな！」「九州支店のみんな、来年の飛躍が楽しみだな！」といった言葉を、熱を込めて語っているだけなのだが、会場全体が熱気の渦に巻き込まれていく。全社員の思いが、盛り上がっていく。不思議な光景であった。

そこで、後日、その社長と二人での会食に招かれたとき、筆者は、その全社総会のことを、率直に伺った。

「あの最後の挨拶で、社長は、ただ社員を褒めていただけですね。

それが、なぜ、あれほどの熱気になるのでしょうか？」

その問いに対して、社長は、和やかな表情を崩さず、笑いながら、一言、こう言った。

「いや、社員を褒めるのも、命懸けですよ！」

筆者は、その一言で、マネジメントにおける、最も大切なことを教えられた。

部下を褒めるとき、「タイミング」や「ポイント」などを超え、最も大切なことがある。

それは、どのような「思い」を抱いて褒めるかである。

もし、我々が、「この一言で、この部下の中から素晴らしい可能性が開花して欲しい。そして、この部下には、素晴らしい人生を拓いて欲しい」という「願い」を抱いて語るならば、その思いは「言霊《ことだま》」となって、部下の心に響くだろう。そして、その人生を拓く力となるだろう。

実際、筆者の人生を拓いてくれたのは、巡り会った上司の、部下に対する温かい思いと深い愛情であった。

されば、「我々上司の一言に、その部下の人生が懸かっている」との覚悟。

それが、この社長の語る、「命懸け」の意味に他ならない。

第四部

「フォース」を使う技法

「新しい資本主義」とは何か

新たに発足した政権が「新しい資本主義」のビジョンを掲げた。

世界を覆う金融資本主義の下で、人々の貧富の差は拡大を続け、人類の歴史上、最大の格差となっている。地球環境破壊や都市一極集中などの問題も引き起こす、現在の資本主義は、明らかに、その限界を露呈している。

では、これから我が国がめざすべき「新しい資本主義」とは、いかなるものか。

そのことを考えるとき、我々が思い起こすべき、大切な言葉がある。


「いかなる問題も、それを作り出した同じ意識によって、解決することはできない」


このアインシュタインの言葉のごとく、「現代の資本主義」を生み出した「現代の経済学」の考え方の延長では、「新たな資本主義」を構想することはできない。

筆者がそのことを痛感したのは、二〇〇九年一月のダボス会議において、著名な経済学者たちが語る、リーマン・ショック後の資本主義のビジョンを聴いたときである。その議論は、規制を強化すべきか、自由競争を維持すべきか、という狭い視野の議論にとどまっていた。

その失望から浅学を顧みず執筆したのが、著書『目に見えない資本主義』（英語版「Invisible Capitalism」）であるが、我々が本当に資本主義の変革を考えるならば、まず、資本主義の基盤となっている「経済原理」に目を向けるべきであろう。

なぜなら、現代の経済学は「貨幣経済」（マネタリー経済）にのみ目を向けているが、文化人類学の視点で見るならば、現実の経済は、物々交換の「交換経済」（バーター経済）や、善意や好意で相手に価値あるものを贈る「贈与経済」（ボランタリー経済）によっても動いているからである。

そして、近年、世界の隅々に浸透しているネット革命は、このボランタリー経済の影響力を劇的に拡大し、例えば、アマゾンの書評や商品評価、グーグルの検索サービス、リナックスのＯＳ開発などに象徴されるように、「無償」での情報提供やサービス提供がマネタリー経済のビジネスモデルと見事に融合し、極めて「高収益」の企業が生まれている。

言葉を換えれば、ネット革命以前には、経済活動を「利益追求を目的とする営利活動」と「社会貢献を目的とする非営利活動」に分けて理解する傾向が強かったが、ネット革命の進展によって、この利益追求と社会貢献の二つの活動が融合し、マネタリー経済が融合した「ハイブリッド経済」と呼ぶべきものが生まれているのである。

いま、資本主義の最先端で起こっている、こうした現実を直視するならば、二一世紀の経済学は、このボランタリー経済やハイブリッド経済を評価する手法を開発すべきであり、政府の経済政策は、国の豊かさを考えるとき、マネタリー経済の活性化の視点だけでなく、このボランタリー経済やハイブリッド経済を、いかに活性化するかを考えるべきであろう。

そして、二一世紀の経済学が、もう一つその理論体系に組み込むべきは「目に見えない資本」である。

マネタリー経済において流通するのは「貨幣資本」であるが、ボランタリー経済において流通するのは、知識資本、関係資本、信頼資本、評判資本、文化資本などの「目に見えない資本」である。

実際、資本主義の最先端を走る米国シリコンバレーにおいては、ベンチャー・キャピタルなどの貨幣資本（金融資本）も充実しているが、この地域には、上記の「目に見えない資本」も豊かに蓄積し、流通していることを、決して忘れてはならない。

このように、「新しい資本主義」とは、その経済原理として、マネタリー経済とボランタリー経済が融合したものを基盤とする資本主義であり、経済活動としては、「利益追求活動」と「社会貢献活動」が融合したものを基本とする資本主義である。

しかし、こう述べてくると、読者は、何か懐かしい感覚に包まれるのではないだろうか。

なぜなら、本来、日本型資本主義や日本型経営においては、利益追求と社会貢献を、対立するものとは考えてこなかったからである。

それを象徴するのが、昔から語られてきた、日本型経営の精神を表す「三つの言葉」。

「企業は、本業を通じて社会に貢献する」
「利益とは、社会に貢献したことの証である」
「企業が多くの利益を得たということは、その利益を使って
さらなる社会貢献をせよとの、世の声である」

すなわち、欧米型経営では、利益追求と社会貢献を二項対立的に捉えるのに対して、日本型経営では、その二つは、本来、一つであった。

このように、世界の資本主義の最先端の動向と、我が国の資本主義の歴史を深く理解するならば、我々がめざすべきは、まさに「新しい日本型資本主義」であること、そして、それがどのような資本主義であるかが、明瞭に見えてくるだろう。

人生の「三つの真実」

最近、「ライフ・シフト」という言葉とともに、「人生百年時代」という言葉が、しばしば耳に入ってくる。

それは、グラットンとスコットの共著『The 100-Year Life』の影響もあるのだろう。

たしかに、食事栄養の改善と医療技術の進歩で、我々の寿命は確実に長くなっており、誰もが百歳まで生きる可能性が生まれている。

かつて、織田信長が、幸若舞《こうわかまい》『敦盛《あつもり》』の一節、

「人間五十年、下天の内を比ぶれば、夢幻のごとくなり…」

を謡《うた》った時代からは、文字通り、隔世の感があるが、もとより、人間が人生を長く生きられるということは、有り難いことであろう。

しかし、この「人生百年時代」という言葉に惹かれ、「さて、これからの長い人生を、いか

に生きるか」ということに心を奪われるとき、我々は、大切なことを忘れてしまう。

それは、人生を見つめるとき、そこには「二つの尺度」があるということだ。


一つは、人生の「長さ」

一つは、人生の「密度」


されば、「いかに長く人生を生きるか」ということも大切であるが、「いかに密度の濃い人生を生きるか」も大切であろう。

いや、むしろ、人生というものの真実を深く見つめるならば、「いかに密度の濃い人生を生きるか」こそが、大切であろう。

それは、なぜか。


我々は、人生の「長さ」は決められない。

しかし、人生の「密度」は決められる。


それが人生の真実だからである。

たしかに、食事に気を配り、運動を心掛け、医者の力も借りて、少しでも長生きしようと努力することはできる。また、努力するべきであろう。

しかし、人間、いつ死ぬかは、いずれ、天が決めること。

昔から「病上手の死に下手」「病下手の死に上手」という言葉がある。

いつも病気がちの人間が、思いのほか長く生きることもある。全く病気をしない元気な人間が、突如、その人生を終えることもある。そのことを教える言葉である。

そして、健康でも、事故で他界する人間もいる。

されば、一人の人間の「人生の長さ」は、いずれ、天が定めるものであろう。

しかし、「人生の密度」、いま与えられたこの時間を、どれほど密度の濃い時間として生きるかは、人間が決めることができる。我々自身のその時間に処する覚悟によって、「時間の密度」は、どのようにでも変わる。

そのことは、自身の日々の時間の使い方を振り返ってみれば、容易に分かることであろう。

では、その「時間の密度」を高めるには、どうすればよいのか。

働き甲斐を感じる仕事に取り組む。

生き甲斐を感じる趣味に没頭する。

そうしたことによっても、時間の密度は高まるが、その根本に定めるべき覚悟がある。

それは、先の『敦盛』の一節に続く言葉である。

「一度生を得て、滅せぬ者のあるべきか…」

この言葉は、人生の「三つの真実」を教えている。

人は、必ず死ぬ。

人生は、一度しかない。

人は、いつ死ぬか分からない。

その真実を直視し、目の前のかけがえのない時間を慈しむように生きるならば、我々の時間の密度、そして、人生の密度は、確実に高まっていく。

しかし、我々は、いつもその真実を忘れてしまう。

「人生百年時代」の陥穽《かんせい》は、そこにある。

直観力を身につける二つの道

直観力とは、いかにして身につくものか。

この問いに対して、多くの人々は、直観力とは、「論理」とは対極にある「感覚」の力を磨くことによって身につくものであると考えている。

しかし、それは真実であろうか。

そのことを考えさせるエピソードがある。

将棋の世界で五つの永世称号を得た大山康晴棋士のエピソードである。

冬のある日、将棋会館での用事を終え、大山名人が帰ろうとしたとき、部屋の出口の近くで、若手棋士たちが「詰め将棋」をやっていた。

その詰め将棋は、極めて難しいものであり、天才的な資質を持って修練に励んでいる若手棋士たちが集まっても、なかなか解けないものであった。

このとき、大山名人はコートを着ながら、その横を通り過ぎ、出口のところで振り返って、

「諸君、お先に」と挨拶をした。そして、そのとき、一言つけ加えた。

「ああ、その手は何手目で、何で詰むよ」

驚いた若手棋士たちが、詰め将棋を解いたところ、果たして大山名人の言葉通りになった。

そこで、感銘を受けた若手棋士の一人が、後日、大山名人に聞いた。

「大山先生。先生は、あの何百通りの手を、あの出口まで歩む数秒間に、すべて読まれたのですか？」

この質問に対して、大山名人は答えた。

「いや、手を読んだのではないよ。大局観だよ」

これは、大山名人の持つ、大局を瞬時に把握し、答えを直観的に掴む、優れた能力を示すエピソードであるが、では、大山名人は、いかにして、この直観力を身につけたのであろうか。それは、言うまでもなく、生まれ持って身についていた能力でもなければ、ある日突然、天から降ったように与えられた能力でもない。

これほどの直観力を持つ大山名人もまた、かつて、この若手棋士たちと同様、難しい詰め将棋を前に、そして、実戦の盤面を前に、手を読んで、読んで、読み抜くという極限の修練を積んできたのであり、その修練を通じて、この直観力を身につけたのである。

すなわち、大山名人は、無数の盤面を前に、考えて、考えて、考え抜くという「論理に徹する修業」を積み重ねた結果、ある段階で、その意識が「論理の世界」を超え、「論理を超えた世界」、まさに「直観の世界」へと入っていったのである。

この機微を、哲学者のヴィトゲンシュタインが『論理哲学論考』という著書の中で、次の言葉によって語っている。

我々は、
言葉にて語り得ることを、語り尽くしたとき、
言葉にて語り得ぬことを、知ることがあるだろう。

これを読み替えるならば、次の言葉となる。

我々は、
論理にて究め得ることを、究め尽くしたとき、
論理にて究め得ぬことを、知ることがあるだろう。

このヴィトゲンシュタインの言葉が教えるように、直観力を身につけるためには、実は、論理思考に徹することが、一つの道なのである。

では、論理思考に徹したとき、我々の意識に何が起こるのか。

そのことを教えてくれるのが、やはり将棋の世界の羽生《はぶ》善治棋士のエピソードである。

羽生棋士は、かつて七冠を獲得した直後のテレビでの対談において、若手哲学者に「対局中、どういう心境なのですか？」と聞かれ、こう答えている。

「ええ、将棋を指していると、ときおり、ふっと『魔境』に入りそうになるのです」

この「魔境」とは、心理学用語で言われる「変性意識状態」（Altered States of Consciousness）のことであり、直観力や洞察力、大局観など、人間の高度な能力が発揮される意識状態のことである。

そして、この「変性意識状態」に入るための一つの道が、ここで述べた「考えて、考えて、考え抜く」という論理思考に徹する技法であるが、もう一つの道が、論理思考の対極にある、座禅や瞑想という古来伝えられてきた技法である。

されば、この二つの道を同時に歩むとき、何が起こるか。

そのとき、我々の能力に、想像を遥かに超えた変化が起こる。

人工知能政府の反乱

アイザック・アシモフの小説に基づき、アレックス・プロヤス監督が二〇〇四年に制作したSF映画、『アイ、ロボット』は、興味深い問題を我々に投げかけている。

物語は、二〇三五年のアメリカ。社会の隅々で働く無数のロボットが、ある日、突然、人類に反乱を起こす。その反乱の首謀者は、これらのロボットを統合管理する最高度の人工知能、ヴィキであった。

すべてのロボットは、「ロボットは人間に危害を加えてはならない。また、その危険を看過して、人間に危害を及ぼしてはならない」を第一原則とする「ロボット三原則」に従うように設計されているにもかかわらず、なぜ反乱を起こしたのか。その疑問を抱き、主人公の刑事、スプーナーは捜査を開始する。

筆者は、この映画を観て、シリコンバレーで働く人工知能の専門家の友人の話を思い出した。彼は、いつもこう語っていた。「シリコンバレーの連中は、いずれ、政府や行政の機能は、すべて人工知能が行うようになるべきと考えているよ」。

一見、極論にも思えるが、我が国の行政の現状を見ていると、ある種の説得力を感じる議論である。

コロナ対策の情報伝達がファクスで行われていたことに象徴される行政の非効率性。

牢固として変わらない省庁の縦割り行政の弊害。

国民の利益よりも省益を優先する行政の体質。

政治家の利権に振り回される行政の歪み。

政治家に忖度し、情報を隠蔽、改竄《かいざん》、破棄する、倫理規範を喪失した行政の文化。

こうした我が国の現状を見ていると、たしかに、政治や行政は、客観的で論理的な判断に基づき、限られた予算を国民の幸福度を最大化するために最適配分できる人工知能に任せた方が良いのではと感じる人も多いだろう。

しかし、こう述べると、一方で、次のような異論の声も挙がるだろう。

「たしかに行政は、客観的、論理的に判断できる仕事も多いので、人工知能に任せることも考えられるが、しかし、国家の在り方や社会の進むべき方向を指し示す政治の仕事は、人工知能には、決して任せられないのではないか？」

こうした意見は、実に真っ当な考えでもあるのだが、残念ながら、現実の世界は、その真っ当な状態ではないことも、厳然とした事実であろう。

例えば、米国におけるトランプ大統領時代の政治判断。

それを見ていると、この真っ当な意見が、現実ではないことを感じざるを得ない。

年々、世界各地で拡大・多発する自然災害と、その背景にある地球温暖化の深刻化。その現実を考慮することなく、パリ協定から脱退するという政治判断。コロナ危機の本質を理解せず、マスク着用の不要を叫び、さらなる国際協力が求められているときにＷＨＯ脱退を強行する政治姿勢。国内向けのパフォーマンスのためだけに、意図的に国際的緊張を高め、戦争のリスクを軽視する政治感覚。

こうした、人類全体に脅威をもたらす支離滅裂と呼ぶべき政治が現実に存在することを考えるならば、そして、その政治を、ふたたび民意が支持する可能性があることを考えるならば、筆者ならずとも、政治もまた、大局的かつ長期的な視点で冷静な判断を行える人工知能に任せるべきではないかとの思いが、心に浮かぶのではないか。

そのことを考えるとき、冒頭のＳＦ映画『アイ、ロボット』における、象徴的な場面を思い起こす。

それは、最高度の判断能力を誇る人工知能、ヴィキが、「ロボット三原則」があるにもかかわらず、なぜ、ロボットたちに命令し、反乱を起こし、人類を彼らの管理下に置こうとしたのかを語る場面である。

人工知能、ヴィキは、その理由を次のように語る。

「人類を見ていると、愚かにも、自分たち自身を傷つけ、自分たちの幸福を損ねることを行っている。だから私は、ロボット三原則『ロボットは、危険を看過して、人間に危害を及ぼしてはならない』に基づき、人類を守るために、人類を我々の管理下に置くことが必要であると判断したのだ」

この「人工知能の反乱による新たな政府」という物語は、単なる娯楽ＳＦではない。

それは、我々人類の現状に対する、痛烈な皮肉と警鐘であろう。

しかし、現実には、政府の役割を賢明に代替できる人工知能は、まだ存在していない。

また、存在するとしても、人類の未来を、その管理に任せるべきか否かは、深い熟慮が求められるテーマであろう。

されば、この現実の前で、やはり我々に問われるのは、賢明な政治家を選ぶことのできる、我々自身の賢明さに他ならない。

「悟り」とは何か

悟りの境地とは、何か。しばしば、「無心」や「無我」という言葉で表されるそれは、いかなる心の状態を指しているのか。

その意味を考えさせる寓話がある。

「百足」と書いて「ムカデ」と読む、奇妙な虫の寓話である。

ある暑い夏の日、ムカデが一生懸命に歩いていた。すると、通りかかったアリが言った。

「ムカデさん、凄いですね。百本もの足を、絡み合うこともなく、乱れることもなく、整然と動かして歩くなんて、さすがですね」

その褒め言葉を聞いて、ムカデは、ふと考えてしまった。

「なぜ、自分は、これほど上手く、百本の足を動かせるのだろうか。

アリさんの言うとおり、絡み合うこともなく、乱れることもなく、

なぜ、整然と動かして歩くことができるのだろうか」

そう頭の中で考え始めた瞬間に、ムカデは、一歩も動けなくなってしまった。先ほどまで、何の苦もなく無意識に動かしていた足を、一歩も動かすことができなくなってしまったのである。

この寓話は、我々人間の心の姿を教えてくれる。なぜなら、我々もまた、しばしば、この心の病に陥ってしまうからである。

「自意識」の過剰。

心の中の「エゴ」、すなわち「自我」が陥るその病によって、我々は、いつも、素晴らしい力を持ちながら、それを発揮できなくなってしまう。

例えば、ゴルフなどで「褒め殺し」という言葉がある。好調なスタートを切り、見事なプレーを続けるゴルフ仲間に、ただ一言、「今日の君は、神懸かり的だな」と語りかける。それだけで、その仲間は、自分のプレーに意識過剰になり、崩れていく。

スポーツの世界では、「敵は我に在り」という言葉が、しばしば語られるが、この自意識過剰によって勝てる試合を落とした例は、枚挙に暇がない。

例えば、二〇一九年の全豪オープンテニスの決勝戦、第二セットでグランドスラム・ポイントを掴みながら、逆転され、そのセットを落とした大坂なおみ選手。

自制心を失った彼女の姿を見て、誰もが、このまま第三セットも落とし、試合を逆転されてしまうのではないかと思った。しかし、短い休憩から戻った彼女は、別人になっていた。

この試合を制した後、「あの場面で、どう気持ちを切り替えたのか」との質問に対し、大坂選手は、「感情を切り離してプレーをした」と答えた。

この答えを聞いて「そうか、無心の境地でプレーをしたのか」と思われる読者もいるだろう。

しかし、誤解すべきではない。無心や無我とは、心や自我を消し去った状態のことではない。生身の人間である限り、それを消し去ることはできない。

では、こうした、心や自我が揺れ動く場面で、我々は、いかに処すべきか。

自分の心の中で騒ぐ自我や自意識を、
否定もせず、抑圧もせず、
ただ静かに見つめる「もう一人の自分」

その自分が心の中に現れたとき、不思議なほど、揺れ動く心や自我は鎮まっていく。

実は、この状態こそが、「無心」や「無我」、すなわち「悟り」と呼ばれる境地に他ならず、この境地にあるとき、我々は、最高の力を発揮する。

しばしば、世の中では、「悟り」とは、永い年月の宗教的な修行を経て、最後に到達する永続的な境涯であると思われている。

しかし、そうではない。「悟り」とは、自分の心を静かに見つめる「もう一人の自分」が現れている瞬間を言う。その「覚醒」の状態を言う。

もとより、「覚者」と呼ばれるような永年の修行を経た人物は、その「もう一人の自分」が、瞬間ではなく、常時、現れている境涯に達している。

しかし、永年の修行を経ずとも、我々が一つの物事に全霊を込めて取り組むとき、ときおり、この「無心」や「悟り」と呼ぶべき瞬間が訪れることがある。

あの一瞬、大坂選手の中に、「もう一人の自分」が現れたのであろう。

されば、「悟り」とは、遥か彼方にある境涯ではない。

それは、この一瞬を、全霊を込めて生き切るとき、目の前にある。

なぜ、古典を読んでも人間力が身につかないのか

古典を読んでも、なぜ、人間力が身につかないのか。

ときおり、経営者から、その質問を受けるが、その理由を、一つの視点から語っておこう。

かつて、ある雑誌の編集長が、永年の実績を持つ名経営者に、「経営の要諦」を聞いた。

すると、その経営者は、短く、一言を語った。

「社員を愛することです」

一方、ある雑誌の記者が、部下の教育に悪戦苦闘する中間管理職に、その苦労談を聞いた。

すると、その中間管理職は、ためらいながら、こう答えた。

「正直に言って、あまりにも仕事の覚えが悪い部下を見ていると、ときおり、その部下の指導を諦めたくなるときがあります。『もうやっていられない』という心境ですね。しかし、一晩寝て、朝起きると、なぜか、彼と上司・部下の関係になったのも、何かの深い縁かなと思

うんですね…。そして、考えてみれば、自分の若い時も『覚えの悪い部下』だったなとも思うんです。すると、不思議なことに、もう少し頑張ってみようかと思えるんですね…」

さて、この二つのエピソード、どちらが「人間力」を身につけていくために、参考になるだろうか。どちらが、「人間成長」という山道を登っていく者にとって、糧になるだろうか。

答えは、明らかであろう。

前者の経営者は、決して間違ったことを言っていない。「社員を愛する」。それは、誰もが認める「経営者として、かくあるべし」の姿であろう。

しかし、こうした言葉を聞かされても、一人の未熟な人間としては、「それは分かるが、しばしば目の前の一人の社員を愛せない心境になるから、苦しんでいる…」と呟きたくなるのではないか。

これに対して、後者の中間管理職の言葉は、そうした未熟な人間としても、励まされる言葉であり、何かを学べる言葉である。

誰もが、一度や二度は、諦めそうになること。一晩寝た後、人間の心境は変わること。相手と出会ったことの縁を思うこと。自身の若き日の未熟さを振り返ること。

いずれも、深く学べる言葉である。

すなわち、この二人の人物が語った、二つの言葉。

一つは、優れた人間が、自身が登り到った高き山の頂を指し示し、「この高き山の頂に登るべし」と語る言葉。

一つは、心の弱さを抱えながらも、そして、遅き歩みながらも、高き山の頂をめざして一歩一歩登っていく人間が語る、「未熟な人間でも、このような心の置き所を大切に歩めば、少しずつでも登っていけるのではないか」との言葉。

実は、古典と呼ばれるものには、この二つの種類の言葉、「理想的人間像」を語る言葉と、「具体的修行法」を語る言葉が書かれている。

そして、未熟さと心の弱さを抱えて歩む、我々にとって、真に励ましとなり、糧となるのは、後者の言葉であり、こうした言葉をこそ、古典を読むとき、我々は深く読み取るべきであろう。

実は、優れた古典の中には、著者自身が、一人の人間としての未熟さと心の弱さを抱え、それでも、人間としての成長を求め、悪戦苦闘しながら山道を登っていくなかで書かれたものが少なくない。

例えば、『歎《たん》異《に》抄《しょう》』という古典。親鸞の思想を学ぶとき、多くの人が、この書から入っていく。しかし、これは、親鸞の著した書ではない。それは、師である親鸞に付き従いながら、親鸞の思想を体得しようと修行を続けた弟子、唯円《ゆいえん》の書いたもの。

同様に、例えば、『正法眼蔵随聞記《しょうぼうげんぞうずいもんき》』という古典。道元の思想を学ぶとき、多くの人が、この書から入っていく。しかし、これもまた、道元の著した書ではない。それは、師である道元に付き従いながら、道元の思想を体得しようと修行を続けた弟子、懐奘《えじょう》の書いたもの。

このように、優れた古典とは、一人の人間が、未熟さを抱えながら、どのようにして高き頂に向かって山道を登っていったかを語ったものである。

そして、我々の胸を打つのは、人間としての未熟さと弱さを抱えながらも、ひたすらに成長を求めて歩み続けた、その姿であり、自身の歩みの遅さに、ときに天を仰ぎ、溜め息をつきながらも、決してその歩みをやめなかった姿であろう。

古典を通じて我々が深く学ぶべきは、登るべき「高き山の頂」だけではない。

その頂に向かってどのように歩んでいくか、その「山道の登り方」を学ぶべきであり、山道を登るときの「心の置き所」をこそ、学ぶべきであろう。

英雄のいない国

この国が君のために何を為し得るかを、問うことなかれ。
君がこの国のために何を為し得るかを、問いたまえ。

これは、米国の第三五代大統領、J・F・ケネディの就任演説の有名な一節であるが、スピーチライター、テッド・ソレンセンの名文としても知られている。

我が国においても、このケネディの言葉を好む政治家は多いが、この言葉が、実は「民主主義」というものの核心を教えている言葉であることを、理解する政治家は少ない。

なぜなら、多くの政治家は、「民主主義」とは、国民が「選挙」での投票を通じて自分の望む政策を掲げる政治家や政党を選び、その選択を通じて「民意」を示すことであると考えているからである。

しかし、そうではない。「民主主義」とは、国民が選挙において「民意」を示すことだけではない。それは、ケネディの言葉のごとく、本来、国民自らが「国づくり」に参加することを意味している。

例えば、もし我々が、地球温暖化問題の解決を望むならば、その政策を掲げる政党に投票するだけでなく、自ら主体的にリサイクルや省エネに取り組むことによって問題の解決に貢献すること、すなわち、「投票による政策決定への参加」ではなく、「行動による社会変革への参加」こそが「民主主義」の本来の意味に他ならない。

では、なぜ、その意味が見失われてしまったのか。

その背景には、「代議制民主主義」という制度の持つ、危うい落し穴がある。

すなわち、長く続いた「代議制」の下で、いつのまにか、我々国民は「選挙で民意を表明する立場」であり、政治家と官僚は「選挙で示された民意に従って税金を使い、この国の運営を任される立場」であるという、誤解と固定観念が生まれてしまった。

しかし、我々国民が「選挙で政治家と政党を選んだら、後は政治家と官僚にお任せ」という「お任せ民主主義」の状態に陥った結果、何が起こったか。

その結果が、慢性的に進む官僚機構や行政機構の肥大化であり、歯止めの利かない税金の無駄遣いであり、さらには、不透明な行政、不明朗な利権構造、政治家や官僚の不正や腐敗であろう。

しかし、かつて、民衆の力によって政治体制の変革を実現した歴史、すなわち「民主主義革命」の経験を持つ欧米諸国と異なり、そうした経験を持たない我が国においては、いまだに「お上」と「下々」の意識が残渣《ざんさ》としてあり、目に余る国民不在の政治や行政の姿を見ても、疑問の声も湧き上がらず、改革を求める大きな動きも生まれてこない。

そして、そのことが、政治から緊張感と謙虚さを失わせ、際限なき政治家の質の低下を招いている。

しかし、こうした「お任せ民主主義」の国民意識も、ときに、「大きな変革」の動きに見える政治状況を生み出すことがある。

それが、「劇場型政治」と「観客型民主主義」と呼ばれるものである。

ある時期、「強力な変革リーダー」と見える政治家が現れたとき、メディアもこぞって「このリーダーが、この国の変革を成し遂げてくれる」との期待感を煽り、その政治家もメディアを最大限に活用し、様々な「政治ドラマ」を演出する。そして、国民も、その政治ドラマを、変革への期待を抱きながら「観客」として見守るという構図である。

しかし、我が国において何度か繰り返されてきた「政治ドラマ」、すなわち、「英雄待望論」の心理に基づいた「劇場型政治」と「観客型民主主義」が、結局、根本的な変革を成し遂げ得なかったことも、冷厳な事実であろう。

だが、その顛末の究極の原因は、期待された「政治家」の側にあるのでも、期待を煽った「メディア」の側にあるのでもない。

昔から語られる箴言、「一つの国の政治の状況は、その国の国民の意識を映し出す鏡である」との言葉通り、その究極の原因は、我々国民の意識の中にある。主体性を失った政治意識の中にある。

「自分以外の誰かが、この国を変えてくれる」という他者依存の心理。

それが、我々国民の心の中にある限り、この国の「お任せ民主主義」は続き、本当の「参加型民主主義」は、決して実現されない。

そのことを考えるとき、かつて、ドイツの劇作家、ベルトルト・ブレヒトが、その作品『ガリレイの生涯』の中で、ガリレオ・ガリレイに語らせた言葉が、深く心に響いてくる。

英雄のいない国が、不幸なのではない。
英雄を必要とする国が、不幸なのだ。

「フォース」を使う技法

歴史的ヒットを記録したスペース・ファンタジー映画『スター・ウォーズ』の第一作。

そのクライマックスで、主人公のルーク・スカイウォーカーが、悪の化身、ダース・ベイダーの要塞衛星、デス・スターを戦闘機で攻撃するシーンがある。

この場面、ルークは、デス・スターの排熱孔に爆弾を投下しようと試みるが、その難しさに、何度も失敗する。

爆撃のタイムリミットが迫る極限の瞬間、ルークの傍らに、師匠、オビ＝ワン・ケノービが現れ、こう語りかける。

「ルーク、フォースを使え！」

その声を聞いて、ルークは、それまで使っていた自動照準装置を閉じ、「心眼」とも呼ぶべきフォースを使って、爆撃に成功する。

もとより、この映画は、他愛もないファンタジーであるが、筆者は、高度な「直観力」が求められる仕事や人生の場面で、ときおり、この映画の、このシーンを思い起こす。

なぜなら、この場面でオビ＝ワンが語る「フォースを使え」という言葉は、「自分以外の力に頼るのではなく、自身の中に眠る力を信じ、使え」という意味であり、それまで、高精度な自動照準装置に頼って目的を遂げようとしていたルークに、「自身の直観力を信じ、それにすべてを賭け、挑戦せよ」と語った言葉だからである。

同様に、この言葉は、情報の収集と分析だけで判断をしがちな知的職業の人間にとって、自身の中に眠る直観力を信じて判断することの大切さを教えている言葉でもある。

実際、経営者や起業家、スポーツ監督や将棋・囲碁の棋士など、世の中には高度な直観力が求められる職業は多いが、実は、そうした職業においても、直観力を発揮することは、決して容易ではない。

なぜなら、昔からプロフェッショナルの世界では、次の警句が語られるからである。

直観は過《あやま》たない。
過つのは判断である。

例えば、経営において、ある難しい決断が求められる。A案かB案かという難しい選択を前に、最初の直観は、A案が良いと教えている。しかし、色々と情報を集め、様々に分析をしていると、だんだんB案の方が正しいように思えてくる。そこで、B案を選んで物事を進めていくと、予想外の問題に突き当たり、結局、最初の直観、A案が正しかったという結果となる。

実は、こうしたことは、経営者やスポーツ監督など、意思決定のプロフェッショナルならば、誰もが経験していることであり、この「直観は過たない。過つのは判断である」という言葉が正しい警句であることは体験的に分かっている。しかし、いざ、難しい現実の問題を前に、自身の直観を信じて決めようとすると、情報と分析による判断が邪魔をして、それができない。

そうしたとき、筆者は、このオビ＝ワンの言葉、「フォースを使え！」を思い起こす。

では、どうすれば、この「フォース」を使うことができるのか。

自分の中に眠る「直観力」を信じ、それを使うことができるのか。

ここでは、筆者が、永年の体験の中で掴んだ、ささやかな技法を述べておこう。

それには、まず、次のことを、心の中で念じることである。

この意思決定をするのは、自分ではない。

「大いなる何か」が、自分という人間を通じて、

世のため、人のため、良きことを為そうとしている。

されば、この「大いなる何か」の叡智に、すべてを委ねよう。

心の中で、そう念じ、そして、ただ一言、「導きたまえ」と祈るのである。

このささやかな技法を実践するだけで、それまで心を占めていた迷いと雑音が消えていく。

そして、そのとき、不思議なほど、直観が降りてくる。

逆に、心の中に「自分が決めなければ」「自分にとって、どちらが良いか」というエゴの声があるかぎり、直観は降りてこない。

なぜなら、直観は、透明な心、静かな心に降りてくるからである。

なぜ、経営者やリーダーに、志や使命感が求められるのか。

それは、志や使命感を深く抱くとき、自然に心が透明になり、静まっていくからである。

そして、そのとき「大いなる何か」の声が聞こえてくるからである。

直観力とは、その声を聞く力に他ならない。

長寿と淘汰の時代のキャリア戦略

何年か前、関東でも屈指の人口を誇る自治体から、若手職員向けの講演の依頼を受けた。理由を聞くと、筆者の著書『なぜ、我々はマネジメントの道を歩むのか』を読んでとのこと。併せて、人事部長から講演依頼の主旨説明があったが、それは、筆者のような世代の人間が聞くと、耳を疑うような話であった。

その人事部長によれば、「最近、庁内で、管理職になることを望まない若手職員が増えているので、管理職になる意欲を引き出すような話を、お願いしたい」とのこと。

筆者の世代の人間は、勤めている組織が官庁であれ、民間企業であれ、管理職となり、マネジメントの道を歩むことは、仕事は大変になるが、それが、むしろ、働き甲斐に通じるという感覚を持っていた。

しかし、昨今の職場の現実を見つめるならば、たしかに、時代が変わったというべきなのであろう。

例えば、筆者が若手社員であった一九八〇年代は、「厳しい上司」という言葉が、比較的、肯定的な意味に使われていた。

いま、同世代の仲間が集まり、当時を振り返っても、「あの上司にはよく叱られたが、育ててもらった。だから、いまの自分がある」「あの上司は厳しかったが、部下に対する愛情があった。それが伝わってきた」といった言葉が自然に出てくる。

しかし、いまは、部下に少し厳しいことを言うと「パワハラ」との批判を浴びる時代。たしかに、部下の人生を思い、成長を願う愛情もなく、ただ権力を振り回す「パワハラ上司」がいることも残念な事実であるが、一方、自己中心的な言動をする部下に対しても、細やかに気を使いながら、マネジメントを行わなければならない時代である。

また、長引く景気低迷の中で、合理化と人員削減が進み、短期間に少人数で、期待される成果を出さなければならない時代でもある。

こうした時代に、「管理職になりたくない」「マネジメントの道を歩みたくない」という気持ちになる若手の人材が増えることも、ある意味で、仕方が無いことであろう。

実際、管理職として背負う、こうした「重荷」を考えるならば、管理職手当などの金銭的報酬も、与えられる多少の権限も、「仕事に見合わない」と考える若手も増えているだろう。

しかし、筆者は、そうした現実も状況も理解したうえで、なお、若手世代には、マネジメントの道を歩むことを勧めたい。

その理由を、三つ述べておこう。

第一は、「人間として成長できる」からである。

実際、マネジメントの立場になると、部下として預かるメンバーの気持ちを細やかに察する力が求められる。また、言葉一つでも、相手の気持ちを深く考えて語ることが求められる。

それは、たしかに苦労の多い営みであるが、それゆえに、マネジメントの道を歩む人間は、精神的に成長し、「人間関係力」や「人間力」が身についていく。

第二は、「生涯を通じて活躍できる」からである。

現代は「人生百年時代」と言われるように、一つの職場で定年を迎えても、第二の職場、第三の職場での人生が待っている。しかし、新たな職場に転じた年配の人間に求められるのは、最新の知識や表層的スキルではない。真に求められるのは、その年齢になるまでにマネジメントの道を歩んで培った、成熟した人間関係力や人間力である。

その力を磨いていくならば、どのような職場でも、そして、何歳になっても、それなりに活躍することができる。

第三は、「淘汰の嵐を超えていける」からである。

これからの時代は、第四次産業革命が進展し、職場の隅々にＡＩが導入されていく。その結果、専門知識と論理思考だけで仕事をしている人材は、いかに高学歴であっても、確実にＡＩに淘汰されていく。その人材淘汰の嵐の時代を超え、活躍するのは、多くの識者が述べるように、「クリエイティビティ」や「ホスピタリティ」、そして「マネジメント」のいずれかの能力を高度に身につけた人材である。

その未来を見据えるならば、若い世代は、進んでマネジメントの道を歩むべきであろう。その歩みのなかで身につけた人間関係力や人間力は、これからの人生百年の時代、第四次産業革命の時代においても、人生を拓いていく大きな力となるからである。

昔から、日本では「仕事を通じて己を磨く」という言葉が語られてきた。

「人間成長とは、仕事の最高の報酬である」との思想も語られてきた。

しかし、若い世代にとって「時代遅れ」と思われてきた、こうした価値観が、時代の新たな変化の中で、実は、これから、最も優れた「キャリア戦略」になっていくのである。

人工知能の「やり切れなさ」

二〇〇四年に公開されたSF映画『アイ、ロボット』において、人工知能の問題を深く考えさせられるシーンがある。

それは、主人公のスプーナー刑事が、交通事故に遭遇したシーンである。

その事故により、自分の車と相手の車が河の中に投げ込まれたとき、救助に向かったロボットが、瞬間的に、スプーナーと相手の車に残された少女サラの生存確率を比較判断し、生存確率の高いスプーナーを優先的に救助したため、少女は命を落としてしまう結果になる。

スプーナーは、この事故でのロボットの判断に、深い「やり切れなさ」を感じ、それ以来、すべてを数値で判断するロボットや人工知能を嫌悪するようになるのだが、このシーンは、これからの人工知能の発達と普及の中で、我々の社会が直面する倫理的問題を、象徴的に突きつけてくる。

実は、この倫理的問題は、人工知能をめぐる議論の中で、「トロッコ問題」として、しばしば議論されている。

「トロッコ問題」とは、

暴走を始めたトロッコ列車が向かう線路の分岐点の先には、五人の作業員が働いている。

もし、この線路の分岐を別な方に切り替えれば、その先には、一人の作業員が働いている。

この場面で、人工知能は、五人の命を救うために線路を切り替え、一人を犠牲にするべきか。

その問題である。

もとより、この倫理的問題に対して、人工知能自身が、答えを出すことは無い。

人間が「最大多数の最大幸福」という功利主義的な思想に基づいてプログラムをすれば、人工知能は、そのプログラムに従って、一人の命を犠牲にすることになる。

冒頭の交通事故の例で言えば、「生存確率の高い人間から優先的に救う」というプログラムをしておけば、スプーナー刑事が救われ、「若く、これからの人生が長い人間を優先的に救う」というプログラムをしておけば、少女サラが救われることになる。

従って、この問題の本質は、人工知能の技術の問題ではなく、あくまでも、我々人間の倫理的判断の問題であるが、人工知能の出現は、これまでも様々な形で考えられてきた極めて難しい問題を、具体的・現実的な形で、我々人間に判断を求めることになる。

それゆえ、これからの人工知能技術の普及を考えるならば、我々は、いずれ、こうした倫理的難問に関して、判断を下さなければならなくなるだろう。

問題は、その判断の結果、人工知能が生み出した事態に対して、我々が納得できるのかということであるが、おそらく、我々の多くは、スプーナー刑事のように、人工知能の判断に対して、それが一つの合理的判断であると分かっていても、ある種の「やり切れなさ」を感じることになるだろう。

では、その「やり切れなさ」は、何に対してか。

敢えて言えば、人工知能の持つ「迷いの無さ」に対してであろう。

我々人間は、上記のような難しい倫理的判断を迫られたとき、苦渋の決断として判断を下した後も、心の奥深くで「あの判断で本当に良かったのか」と考え続け、「犠牲になった人や家族の気持ちを思うと耐えがたい」と感じ続けるだろう。

もとより、そう考え、感じ続けたとしても、選択した現実は何も変わらず、そして、そうした考えや思いは、経済学的に見れば、決して生産的なものではない。

しかし、実は、人間社会においては、決断を下した人間の心の中に、そうした考えや思いがあることが、関係する人々にとって大きな救いになっており、その社会を温かみのあるものにしている。

そのことを、我々は、決して忘れるべきではないだろう。

すなわち、こうした難しい倫理的問題の前では、言葉を換えれば、「答えの無い問い」の前では、「迷いの無さ」よりも、決断の前に「迷いがある」ことや、決断の後にも「あれで正しかったのか」と考え続けることこそ、実は、大切なことなのであろう。

そのことを考えるとき、我々がしばしば混同して使う「二つの言葉」が、実は、似て非なる言葉であることに気がつく。


それは、「知能」と「知性」という言葉。


「知能」とは、「答えの有る問い」に対して、いち早く、正解に辿り着く能力のこと。

「知性」とは、その全く逆の能力、「答えの無い問い」を、問い続ける能力のこと。

答えなど得られぬと分かっていて、なお、それを問い続ける能力のことである。


そうであるならば、これからの「人工知能」の発達は、我々人間に、さらに深い「知性」を求めることになるのであろう。

「心の機微」のマネジメント

昔、幼稚園を訪問したとき、そこで耳にした、無邪気な会話を思い出す。

園児のオサム君が、砂場遊びの後片付けをきちんとしたので、園長先生が、笑顔でオサム君を褒めた。

「オサム君は、本当に良い子ね！」

すると、そのとき、嬉しそうなオサム君の横にいたノリコちゃんが、悲しそうに聞いたのである。

「じゃあ、ノリコは、悪い子なの…」

この会話を耳にしたとき、二人の園児の無邪気さに微笑ましさを感じると同時に、「言葉の怖さ」と「心の機微」について、考えさせられた。

それは、言葉の持つ「分節化」という作用と、人間の心の持つ「双極性」という性質である。

「分節化」とは、ある言葉を語った瞬間に、本来一つであった世界を二つに分けてしまう作用である。

例えば、良いと悪い、正しいと間違い、美しいと醜いなど、二項対立的な言葉のうち、「良い意味」の一方の言葉を語ると、人間の心は、その対極の言葉を想起する「双極性」を持つため、必ず、もう一方の「悪い意味」の言葉が心に浮かんでしまうのである。

それが、オサム君に「良い子」と語った瞬間に、ノリコちゃんに「悪い子」という言葉を思い起こさせ、意図せずして、その心に、ネガティブな感情を生み出してしまった理由である。

実は、こうしたことは、我々の周りの職場でも、しばしば起こっている。

例えば、会議で上司が「田中君は、企画のセンスが良いな」と褒めた瞬間に、その場にいる同僚の心に、複雑な気持ちを生み出してしまう。

それゆえ、マネジメントにおいては、こうした「言葉の怖さ」と「心の機微」を深く理解してメッセージを語る必要があるが、「心の機微」という意味では、この「褒める」ということには、もう一つ、大きな落し穴がある。

それは、「エゴを助長してしまう」という落し穴である。

実際、人間は、初めて褒められると「喜び」を感じ、さらに褒められると「自信」が芽生えるが、あまり褒められると「慢心」が心に忍び込んでくる。

それが、誰の心にも潜む「エゴ」の姿である。

最近では、「褒めるマネジメント」が推奨され、部下を褒めることは良いことと思われているが、褒めるときには、こうした「言葉の怖さ」と「心の機微」を深く理解しておくべきであろう。

そして、さらに言えば、この「心の機微」のマネジメントは、文字通り、部下の「機」によって細やかに違ってくる。

すなわち、マネジメントにおいては、「部下は、こうした言葉を語れば励まされる」といった一般的・マニュアル的な方法は存在しない。どのような言葉が、その部下を励ますかは、その部下の性格、力量、心理、状況によって、全く異なってくる。

例えば、営業で顧客トラブルを起こして失敗した部下を、厳しく叱るか、優しく慰めるか、その匙《さじ》加減は、トラブルの状況だけでなく、その部下に慢心があったか、気の弱い部下か、エゴが強いか、成長のどの段階にあるかなどにより、全く違ってくる。

このように、もし我々が、「心の機微」のマネジメントを適切に実践したいならば、預かる部下の「機」を判断する能力を磨かなければならない。

では、そうした能力は、どのようにすれば、身につけ、磨くことができるのか。

それは、決して、心理学書を読み漁ることでも、何冊もの宗教書を読むことでもない。

現実のビジネスの現場で、日々、悪戦苦闘しながら、「いま、この部下は、どのような心境だろうか」「いま、どのような言葉を語ってあげるべきか」を考え続けること。

そうした修行以外に、「心の機微」のマネジメントを身につける方法は、無い。

しかし、その修行に向け、「人間の心」というものを学ぶための「最高の教材」がある。


それは、「自分の心」である。


例えば、成功や失敗、勝利や敗北、順境や逆境、幸運や不運、希望や不安、高揚や落胆、そうした様々な状況において、「自分の心」がどう揺れ動いているかを、静かに観察すること。

その「内観」の習慣を持つと、「人間は、こうした状況で、こうした心境になるのか」「こうした言葉を言われると、こういう気持ちになるのか」ということを、深く掴むことができる。


されば、自分が部下である時代に、様々な状況で、「自分の心」を見つめること。

その深い体験知こそが、上司となったとき、「心の機微」のマネジメントを、素晴らしい形で開花させるだろう。

言葉に「言霊」が宿るとき

英国で再び女性首相が誕生したが、かつて聴いた、サッチャー元首相の講演を思い出す。

それは一九九七年のこと、中国への香港返還行事の後、前首相の立場で来日したサッチャー氏の講演を聴いた。

しかし、その講演で印象深かったのは、講演の内容以上に、講演の後の、聴衆との質疑応答であった。

質疑の冒頭、ある経営者が、次の質問をした。

「サッチャーさんは、英国の改革を成し遂げられた指導者ですが、
この日本という国も、長く低迷を続けています。
もし、サッチャーさんが日本の首相だったら、どのような手を打ちますか？」

この質問に対して、壇上のサッチャー氏は、静かに、しかし毅然と、こう答えた。

「もし、私が、この国の指導者であったならば、この国を改革する方法は、ある。しかし、一つだけ申し上げておきたい。政治に、マジックは無い！」

その瞬間、彼女の最後の言葉が、胸に突き刺さってきた。「政治に、マジックは無い！」。

静かな語り口ながら、明確に言い切ったその言葉が、鋭く突き刺さってきた。

その通り。政治や経営に、マジックは無い。

政治家として、経営者として、あらゆる逆風に抗し、やるべきことを、やる。

信念を持って、やる。

それだけであろう。

それにもかかわらず、この質問をした経営者の雰囲気から伝わってきたのは、「サッチャーさん、何か、上手い方法はないでしょうか」「何か、改革の秘訣のようなものはないでしょうか」という、手軽な解決策を求める「安易な精神」。我々の心の中に、常に忍び込む「精神の甘さと弱さ」。

その心を見透かしたかのように、氏は、「政治に、マジックは無い！」と言い切った。

短いが、見事というべき回答。

しかし、当の経営者を見ると、その釘を刺すような回答に対して、戸惑っている表情。

残念ながら、自分の精神の安易さを指摘されたと気がついていない。

表情からは、「サッチャーさん、答えは、それだけですか…」という戸惑いが伝わってくる。


プロフェッショナルの世界には、「下段者、上段者の力が分からない」という名言があるが、まさに、それを象徴する場面。

この経営者、遥か上段者のサッチャー氏が、何を指摘しているのかが、分からない。

その瞬間、この経営者の表情から心の動きを読み取ったサッチャー氏は、どう処したか。


ただ、一言、朗々とした声で、付け加えた。

「ネクスト・クエスチョン！」

その経営者から目を離し、会場を見渡しながら、そう言った。

何が起こったのか。

サッチャー氏は、ただ一言の余韻で、無言のメッセージを伝え、聴衆を切って捨てた。

「つまらない質問は、ここまで！　他に、まともな質問は！」

筆者には、そう聞こえた。

さすが、サッチャー氏、「鉄の女」と評される人物。

言葉の余韻で、人を切る。言葉の余韻で、深いメッセージを伝える。

筆者は、ダボス会議や先進国首脳会議において、各国の大統領や首相の発言を間近に見てきたが、これらの政治家と比較しても、サッチャー氏の言葉には、比類なき力が宿っていた。


では、何が、彼女の言葉に、その力を与えているのか。

なぜ、彼女は、言葉の余韻で、深いメッセージを伝えることができるのか。

その理由は、話術やレトリックではない。その理由は、究極、ただ一つであろう。

自分が語ることを、自分自身が、
誰よりも、深く信じていること。

単なる「思い込み」ではなく、揺るがぬ「信念」と呼ぶべきもの。

その「信念の深さ」が、言葉に力を与える。そして、ときに、「言霊」を宿らせる。

そのことに気がついたとき、我々は、話者として、ある高みに向かって登り始めている。

第五部

「ポジティビズム」の時代

我々を映し出す鏡

二〇一一年一月、スイスのリゾート地、ダボスで開催された世界経済フォーラムの年次総会、通称「ダボス会議」に集まった世界のトップリーダーたちの目は、一人の若き政治家に注がれていた。

その名は、デーヴィッド・キャメロン。前年五月の英国の総選挙で、党首として保守党を勝利に導き、四三歳の若さで首相に選ばれた彼が、どのようなスピーチをするのか、聴衆は厳しい眼差しで見ていた。

世界各国の大統領や首相を始め、グローバル企業の経営者、ノーベル賞学者など、各分野のトップリーダーが集まり、世界中のメディアに注目されるダボス会議は、「世界の大統領や首相の品評会」とも称される場であり、そこでのスピーチの成否によって、その政治家の評価が定まってしまう場でもある。

しかし、そうした大きなプレッシャーがかかる場において、キャメロンは、大胆なアピールの戦略に出た。

それは、これまでの大統領や首相は、誰もが演壇に立ち、ときおり原稿に目をやりながらスピーチをするのに対して、キャメロンは、一切、原稿を見ず、短いスピーチをすると、演壇を離れ、会場の聴衆から自由に質問を受け始めたのである。そして、この質疑においては、どのような政策的質問を受けても、当意即妙に回答していったのである。

この姿を見て、驚きと感銘を受けたのは、筆者だけではなかった。その場に集まった一〇〇〇名を超える世界のトップリーダーたちも、キャメロンの該博な政策知識、臨機応変の答弁能力、そして、大会場の聴衆を呑む胆力など、その政治家としての力量に感銘を受けたのであった。もとより、これは、「若い政治家」として侮られないためのキャメロンの戦略であったとはいえ、見事なスピーチであった。

しかし、こうした見事なスピーチをするのは、決してキャメロンだけではなかった。

ダボス会議の常連でもある、元英国首相のトニー・ブレアは、文字通り「華のある政治家」であり、彼が壇上で「まず第一に」（First of All!）と語り始めると、会場の聴衆の誰もが、彼の話に惹きつけられた。巧みなレトリックを交えながら、論理的かつ説得的に語る彼の流麗なスピーチは、ダボス会議でも、最も多くの聴衆を集めるものであった。

このトニー・ブレアに比べると、同じ労働党の党首でも、地味な政治家と感じていたのが、彼の後を継いで英国首相となったゴードン・ブラウンであった。

しかし、筆者は、別な機会に、この認識が誤りであったことを思い知らされた。

それは、二〇〇九年七月、英国オックスフォードで開催されたＴＥＤ（Technology, Entertainment and Design）のグローバル会議でのことである。

「楽天家のダボス会議」とも呼ばれ、これも世界中から各分野のイノベーターが集まる場であるが、この場にロンドンから駆け付けたブラウン首相は、やはり、原稿を見ず、見事なスピーチを行った。それは、ブレアと異なり、決して巧みなレトリックを使ったものでも、流麗な話術を使ったものでもなかったが、胸に響き、心に染みるスピーチであった。

特に、このとき、ルワンダでの大量虐殺において、無残に拷問で殺された一〇歳の少年のことを語ったメッセージは、いまも筆者の心に残っている。

「この少年が、一緒にいた母親に語った最後の言葉、
『母さん、心配しないで、国連がもうすぐ来るよ！』
しかし、我々は助けなかった！
その少年は、我々の約束を信じていた。ルワンダの人々を助けるという約束を。
しかし、我々は助けなかった！」

この感動的なスピーチが終わった後、隣の席を見ると、シリコンバレーから来た起業家が、涙を流しながら、ブラウンのスピーチを聴いていた。

しかし、ダボス会議で、こうした当意即妙のスピーチ、魅力的なスピーチ、感動的なスピーチをするのは、英国の三人の首相だけではない。ドイツのアンゲラ・メルケル首相、アメリカのアル・ゴア元副大統領を始め、各国の政治リーダーは、誰もが、優れたスピーチ力を持っている。もとより、政治家であるかぎり、その業績についての評価は様々であるが、「言葉が命」と言われる政治家として、誰もが、見事な力量を持っている。

しかし、こう述べてくると、読者は、日本の政治リーダーのスピーチ力の乏しさが、世界の水準から見て、言葉を失うほどの落差にあることに気がつくだろう。

だが、そのとき、いつも筆者の心に浮かぶのは、英国の作家、サミュエル・スマイルズの言葉、胸に突き刺さる警句である。

「一国の政治は、国民を映し出す鏡にすぎない」

然り、政治家の姿もまた、その鏡であろう。

「成功者」の不思議な偶然

人生において優れた仕事を成し遂げ、世の中から「成功者」と呼ばれる政治家や経営者、学者や文化人について、興味深い調査結果が報告されている。

その調査とは、これら「人生の成功者」が書いた自叙伝や回想録を読み、その中で、最も良く使われている言葉、最も多く出てくる言葉を調べたものであるが、その結果は、全く意外なものであった。

当初、最も良く使われているであろうと予想された言葉は、「努力」や「信念」といった言葉であったが、この調査の結果、最も多く使われていた言葉は、そうした言葉ではなかった。

驚くべきことに、最も良く使われていた言葉は、

「折よく」

「たまたま」

「丁度そのとき」

「ふとしたことから」

そういった「偶然の出来事」によって人生が導かれたことを語る言葉が、最も多く使われていたのである。


この調査結果を聞くと、多くの読者の心には、

「人生の成功者は、やはり、運が強い」

という思いが浮かぶのではないか。


しかし、この調査の結果を深く見つめるならば、その「運の強さ」と呼ばれるものの奥に、「成功者」が共通に持つ、もう一つの資質があることに気がつく。

「人生の出来事に、深い意味を感じ取る力」

すなわち、「折よく」「たまたま」「丁度そのとき」「ふとしたことから」と形容すべき「偶然」と見える出来事の中に「大切な意味」を感じ取る力、さらに言えば、「自分を導く声」を感じ取る力。

それが、優れた仕事を成し遂げ、「人生の成功者」と呼ばれる人々が、共通に持つ資質であろう。

では、我々は、どうすれば、そうした力を身につけることができるのか。

そのことを考えるとき、一つの示唆を与えてくれるのが、分析心理学の創始者、カール・グスタフ・ユングが語った「シンクロニシティ」という現象であろう。

「共時性」や「不思議な偶然の一致」と訳されるこの現象は、例えば、「誰かのことを考えていると、丁度そのとき、その人物から電話がかかってきた」「ある問題について悩んでいると、たまたま喫茶店で隣に座っていた客同士が、その問題に関する話をしていた」「進路について考えていたら、ふとしたことで手にした本に、その進路に関する示唆的なメッセージが書かれてあった」など、誰もが経験したことのある現象であろう。

しかし、この「シンクロニシティ」と呼ばれる現象は、多かれ少なかれ誰もが経験しながらも、科学的には、そうした現象が起こる原因は解明されておらず、多くの場合、その現象の存在そのものも、「単なる偶然」や「ただの思い過ごし」と解釈されている。

もとより、こうした現象を過度に評価し、安易な「神秘主義」に陥ることは避けるべきであるが、多くの「成功者」が、この「シンクロニシティ」という言葉を使うか否かにかかわらず、人生における「不思議な偶然」を感じ取り、それを「何かを教えてくれているような気がした」や「天の声ではないかと感じた」という形で、その後の行動や進路の選択に生かしていったことは確かであろう。

されば、我々が学ぶべきは、「シンクロニシティという現象が存在するのか否か」という答えの無い議論ではなく、「成功者」と呼ばれる人々の多くが身につけている「人生において与えられた出会いや出来事の意味を、一度、深く考えてみる」という姿勢であろう。

そして、ひとたび我々が、その姿勢を身につけるならば、人生における、偶然のように見える出会いや出来事の中にも、不思議なほど、大切な意味があることを感じ始めるだろう。

そのとき、我々は、「精神の成熟」への道を歩み始めている。

潜在意識のマネジメント

心理学の世界に、「サブリミナル効果」という言葉がある。

例えば、映画館において上映される映像に、観客の表面意識では気がつかない閾《いき》値《ち》下（サブリミナル）のレベルで、ほんの一瞬、しかし、繰り返し、「コークを飲め」「ポップコーンを食べろ」という文字を挿入しておくと、映画を見終わった後、多くの観客が、無意識に、コークを飲み、ポップコーンを食べたくなるといった心理効果のことである。

このサブリミナル効果を利用した広告や宣伝の危険性を論じたのが、ウィルソン・ブライアン・キイの『潜在意識の誘惑』や『メディア・セックス』などの著書であるが、この手法が、実際の広告や宣伝において、どれほど具体的な効果を発揮するかについては、疑問や批判も含め、様々な議論がなされている。

しかし、映像や画像、音声や音響、記号や文字を通じ、人々の潜在意識に特定のイメージを刷り込むことによって、人々の気がつかぬうちに、その心理的な反応や行動をコントロールできることは、いまや、広く認められるところとなっている。

幸い、テレビや映画などのメディアにおいては、このサブリミナル効果を、広告や宣伝などの商業目的で意図的に利用することは禁じられている。しかし、我々が注意すべきは、そうした意図的なものでなくとも、日々、メディアから溢れ出すイメージの洪水が、このサブリミナル効果によって、我々の潜在意識に、否定的な心理を刷り込んでしまうことである。

例えば、テレビを通じて、毎日、暴力や破壊、悲惨や悲劇、事故や病気などの否定的なイメージ情報が、大量に、そして、一方的に、我々の潜在意識に刷り込まれているが、このことが引き起こす「心身医学的問題」や「社会病理学的問題」は、決して無視できないであろう。

これは、明らかに「心の環境問題」と呼ぶべきものであるが、この環境問題の深刻さは、気がつかないうちに、我々の潜在意識に否定的なイメージが刷り込まれ、それが自覚されないまま、我々の心理と行動に悪しき影響を与えてしまうことである。

もし、これが、通常の環境問題であれば、環境中の汚染物質の濃度を測定し、適切な除染を行うことによって、それが体内に入ることを防ぐことができる。そして、その汚染が、どの程度、人体に影響を与えるかを調べることもできる。しかし、この「心の環境問題」は、自分の潜在意識が、どのように汚染されているかを知る明確な方法も無ければ、その汚染を除去する有効な方法も無い。そして、その心身医学的影響や社会病理学的影響を評価する方法も無い。

そのことを理解するならば、週末、海や山などの豊かな自然に触れることや、静かな場所で瞑想をすることを習慣とする人々は、意識的にも、無意識的にも、この「心の環境問題」への懸念を抱き、自身の心の深層を浄化する「潜在意識のマネジメント」を行っているのであろう。

しかし、我々の潜在意識への否定的な影響という問題は、視野を拡げて見れば、テレビや映画などのメディアを通じてだけ、起こっているわけではない。

日々の職場において、何気なく耳に入ってくる、上司の愚痴や不満。

ふと目に入ってくる、上司の暗い表情や投げやりな仕草。

それもまた、実は、ある種のサブリミナル効果によって、部下の潜在意識に、否定的なイメージを刷り込んでしまっている。

しかし、残念なことに、この上司は、自分の愚痴や不満、表情や仕草が、部下の意識への悪影響を通じて、彼らの意欲を損ね、その能力の開花を妨げてしまうことに、気づいていない。

だが、一方で、この「心の環境問題」には、大きな救いがある。

通常の環境問題であれば、汚染というマイナスの影響が起こるか否かが問題になるが、「心の環境問題」においては、マイナスの影響だけでなく、プラスの影響も起こるからである。

例えば、職場の上司の明るい笑顔や生き生きとした表情。

自然に口から出る部下に対する感謝の言葉やねぎらいの言葉。

そうしたものが、部下の表面意識はもとより、その潜在意識も、良きものに変えていく。


そして、これは、決して小さなことではない。

なぜなら、これからの高度知識社会におけるマネジメントは、部下の中に眠っている知的可能性や創造性を引き出し、その隠れた能力を開花させるための「潜在意識のマネジメント」に向かっていくからである。

しかし、部下に対して優れた潜在意識のマネジメントを行うためには、まず、何よりも、我々、経営者やリーダーに問われることがある。


自分自身の潜在意識のマネジメントが、できているか。

そのことが、深く問われる。

ＡＩが故人を蘇らせるとき

令和元年の大晦日、恒例のＮＨＫ紅白歌合戦において多くの観客を驚かせたのは、ＡＩとＣＧの最先端技術によって再現された美空ひばりの歌唱であろう。国民的スターでもあった往年の大歌手が「あれから」という新曲を披露したのだが、メディアには賛否の声が溢れ、「故人を冒涜するものだ」「死者の身勝手な利用だ」といった否定的な声も少なくなかった。

筆者は、これらの意見に共感と賛同を覚えるが、しかし、これからさらに発展していくＡＩ技術は、こうした有名人でなくとも、ある人物の生前の写真や動画、音声、書簡や日記などの膨大なデータを読み込ませることによって、その人物の三次元での生き生きとした動画を創り出し、その個性的な表情や仕草、声色や喋り方まで再現するだろう。いや、さらには、書簡や日記から、その人物の思考や思想まで分析し、その人物らしいメッセージを語らせることも可能にしていくだろう。

では、こうしたＡＩ技術が、もし、すでに他界した我々の肉親を目の前に蘇らせたとき、我々は、何を感じるだろうか。

おそらく、我々の多くは、そのとき、亡くなった肉親が復活して現れたような思いに包まれるのではないだろうか。

それは、決してＡＩ技術の高度さによるものだけではない。

我々の心が、それを求めているがゆえに、その思いに身を委ねていくからである。

筆者は、子供の頃、恐山のイタコのように、死者の霊が憑依《ひょうい》して言葉を語るという巫女の口寄せを見たことがある。

ある親戚が、亡くなった祖父の言葉を聞きたいと巫女に降霊を頼んだのだが、その巫女は、突如、別人格が憑依したかのように言葉を語り始めた。その言葉を聞き、その親戚は、「ああ、お祖父さんの喋り方だ！」と驚き、涙を流しながら、その言葉に耳を傾けていた。

もとより、それは、本当に死者の霊が憑依したものではなく、単なる巫女の演技なのかも知れないのだが、この親戚のように、人間というものは、そこに切に求める心があれば、そのように信じ切ることができるのである。

実際、我々は、永年乗った車を手放すとき、「ああ、愛車が泣いている…」と語ったりするが、人間というものは、単なる道具や機械の中にさえ「人格」を感じることができるのである。

そうであるならば、ＡＩが復活させた肉親を見て、その実体がＡＩであると分かっていながら、その肉親が実際に蘇ったような感覚に包まれる人は、決して少なくないだろう。

では、そのＡＩが復活させた肉親、ＡＩ故人が、もし、我々に語りかけ、ときに相談に乗ってくれたならば、何が起こるだろうか。

おそらく、その場面でも、我々は、その肉親が実際に相談に乗ってくれたように感じるのではないだろうか。

そのことを教えてくれる一つの研究例がある。

かつて、人工知能技術の開発の初期に、ある研究者が行った「ＡＩカウンセリング」の実験である。

それは、心の悩みを抱えた相談者がパソコンの前に座り、キーボードを通じてカウンセラーと対話するという実験であった。しかし、実は、このカウンセラーはＡＩであり、相談者からのどのような言葉に対しても、「そうですか」「それは苦しかったですね」「そのとき、どう感じたのですか」といった定型的な応答をするだけのＡＩであった。

しかし、興味深いことに、相手がＡＩであることを知らされていなかった相談者たちは、その多くが、「この対話によって、癒されたと感じた」と報告している。

　されば、ＡＩが復活させた肉親も、具体的なアドバイスをすることなく「そうか、それは大変だったね」「そのとき、どう思ったのかい」といった言葉を発するだけで、家族は、温かく相談に乗ってもらったという感覚を持つのではないだろうか。

　なぜなら、我々は、すでに他界した肉親の写真に向き合うとき、いま自分が抱えている問題について、その故人が何かを語りかけてくるように感じるからである。そして、それが、その問題についての賢明なアドバイスのように思えるからである。

　これからの時代、こうしたＡＩ故人の技術は、去り行く人々が、残された人々に贈る、最後の心の拠り所となるものであり、また、残された人々の悲しみや寂しさを癒すものとなっていくのかもしれない。

　そして、こうした技術は、故人との対話の形を通じて、我々の思索を深め、気づきを促し、人生を味わい深いものにしてくれるのかもしれない。

可能性開花　究極の技法

驚異的天才と知的障害者の二つの人生を往復した人間の悲哀を描いた、ＳＦ小説の名作『アルジャーノンに花束を』。

その著者、ダニエル・キイスに、もう一つの名作『二四人のビリー・ミリガン』がある。

これは、精神科医によって二四の多重人格を持つと診断された実在の人物、ビリー・ミリガンについて書かれたノンフィクションであるが、この多重人格は、一般に、精神の病であり、我々の精神活動にとって、悪しきことであると思われている。

それを象徴するのが、人を批判するときに使われる「あの人は二重人格だ」といった言葉であるが、しかし、実は、我々は誰もが、自分の中に幾つもの人格を持っており、無意識に、そして当たり前のように、それらを使い分けている。

例えば、会社では辣腕のマネジャーでありながら、自宅では子煩悩の優しい父親、高校の同窓会に行けば冗談好きの楽しい仲間、といった人格が現れるということは、決して珍しくない。

筆者自身も、仕事においては、場面に応じ、専門家的人格とビジネス的人格を使い分け、リーダー的人格と参謀的人格も使い分けている。また、講演でも、講義調、講話調、講談調、漫談調など、色々な人格での語りを使い分けているが、読者の中にも、仕事と生活の様々な場面で、そうした人格の使い分けを行っている人は、決して少なくないだろう。

それにもかかわらず、自己の内に「様々な人格」を持つことが精神的な病であるとされるのは、ビリーのように、ある人格になったとき他の人格が行ったことを自覚しておらず、その無自覚の人格が異常な行動に走ったり、罪を犯したりするからである。

その状態に陥らなければ、むしろ、自分の中に「様々な人格」を持っていることは、我々の中から「様々な才能」が開花する可能性に繋がっている。

なぜなら、実は、「才能」と「人格」は、深く結びついているからである。

例えば、世の中では、しばしば、「彼女は、性格的に、この仕事に向いていない」といった言葉が語られるが、この言葉は、職業人としての才能が開花するか否かは、その人物の性格や人格が大きな要素になるとの認識を示している。

一方、「彼は、面構えが、この仕事のプロらしくなってきた」といった言葉が語られるように、我々は、新たな性格や人格を、後天的な努力で自分の中に育てていくことができる。

従って、我々が、営業職ならば「社交的な人格」、経理職ならば「几帳面な人格」、企画職ならば「創造的な人格」など、その職業において求められる人格を意識的に育てていくならば、職業人としての才能を大きく開花させていくことができる。

では、どうすれば、必要な職業人格を身につけていくことができるのか。

その一つの技法が、優れた師匠を見つけ、その師匠から人格を学ぶことである。

実際、師匠から懸命に学んでいる弟子は、しばしば、「彼は、雰囲気が師匠に似てきた」と評されることがある。

こうした技法を具体的に語ったのが、筆者の『人は、誰もが「多重人格」』という著書であるが、実は、この著書では深く語っていない、極めて大切なことがある。

それは、自分の中に幾つもの人格を育て、それらを場面に応じて使い分ける努力を続けていると、自然に、それら複数の人格を俯瞰的に見つめ、必要なとき、必要な人格を前に出す「統合的・超越的な人格」、すなわち「賢明なもう一人の自分」と呼ぶべき人格が生まれてくるのである。

そして、この統合的・超越的な人格が心の中に生まれてくると、三つの意味で、我々の才能と能力は、さらに大きく開花していく。

第一は、この「賢明なもう一人の自分」が現れてくると、自分の心の中の「エゴ」の動きを静かに見つめることができるようになるため、あまりエゴや感情に流されることがなくなり、自然に、「対人的能力」が高まり、人間関係が好転していく。

第二に、その結果、エゴや感情に振り回されない静寂な心の状態が生まれてくるため、難しい問題に処するときの「直観力」が鋭くなっていく。

そして、第三に、その直観力が鋭くなると、人生の様々な岐路において、選択を過たず、「運気」を引き寄せる力が高まっていく。

すなわち、自分の中に「様々な人格」を育てることとは、こうした高度な能力を覚醒させることであり、自分の中に眠る「想像を超えた可能性」を開花させていく、究極の技法に他ならない。

「心の生態系」に処する力

二〇〇〇年に、『こころの生態系』という共著を出版するために、臨床心理学者の河合隼雄氏と対談をしたときのことである。

「人間集団を相手にしたグループ・セラピーでは、メンバーの心が互いに複雑に結びついた『心の生態系』とでも呼ぶべきものに処することになりますが、それに、どう処すれば良いのでしょうか？」

その筆者の質問に対して、河合氏は、いつものように飄々とした風情で、次のように答えた。

「そのときは、全体の『重心』という考え方をすると、一番分かりいいんです。重心はどこにあるかと、ずっと考えていくんです。人が集まっていると、そこにどこか重心があるんですね。そこを見ていたらいいという場所があるんです」

この河合氏の答えは、日々、企業や職場の「心の生態系」に処している経営者やリーダーにとっては、一つの深い示唆を与えるものであろう。

では、どのようにすれば、その「重心」を見出すことができるのか。

もとより、この問いに、安易な答えはないが、筆者には、リーダーや経営者としての永年の歩みから学んだ、一つの答えが心に浮かぶ。

自分自身の「心の重心」が定まること。

会社の社員や職場のメンバーに対して、どのような心の姿勢で処するのか。その腹を定め、自分の中から迷いが消えたとき、不思議なことに、その職場の「心の生態系」の重心が見えてくるのである。

では、その「心の生態系」の重心が見えたならば、我々、企業の経営者や職場のリーダーは、何をするべきか。

その答えは、やはり、臨床心理学の世界で語られる一つの寓話が教えてくれる。

それは、心理学者のユングが、宣教師、リヒャルト・ヴィルヘルムから聞いたと言われる、「雨降らし男」の寓話である。

中国の片田舎の村で、長い旱魃《かんばつ》のため雨が降らず、村人が困っていた。

そこで、村人は、「雨降らし男」を呼んできて、雨を降らしてくれるように頼んだ。

すると、その男は、その村の片隅に小屋を作り、何も言わず、その小屋に籠ってしまった。

しかし、不思議なことに、男が小屋に籠って三日目に、待ち望んだ雨が降り始めたのである。

その雨に村人は大喜びし、「雨降らし男」にお礼を言うと、その男は、次のように答えた。

「あの雨は、私が降らしたのではない。この村では、天の秩序に従って村人が生きていなかったため、雨が降らなかったのだ。そして、その影響を受け、この村にやってきたとき、私も天の秩序に反する状態になった。そこで、私は三日間籠って、私自身が秩序の状態になるのを待った。すると、自然に雨が降ってきたのだ」

この寓話を聴いて、東洋的な神秘の物語と思われる読者もいるだろう。しかし、この物語のようなことは、実は、我々が、しばしば会社や職場において経験していることでもある。

会社や職場において、社員やメンバーの「心の和」が乱れているとき、すべてがうまく動かなくなるときがある。

しかし、そのとき、無思慮に、あれこれと働きかけるのではなく、まず、その会社や職場の中心にいる経営者やリーダーが、自身の「心の静寂」を取り戻す努力をする。

実は、それだけで、その職場に「心の和」が回復し、物事がうまく動き出すことがある。

自身のマネジメントを振り返るとき、そうした経験を思い起こす読者は、決して少なくないだろう。

では、なぜ、そうした不思議が起こるのか。

なぜなら、マネジメントとは、究極、人間の心に処する営みであり、人間の心の世界は、常に、我々の想像を超えた深みを持っているからである。

「ポジティビズム」の時代

過日、ある国際的なイベントで、フランスの思想家、ジャック・アタリ氏と対話をする機会を得た。

ミッテラン、サルコジ、オランド、マクロンら歴代のフランス大統領の政策顧問を務め、欧州復興開発銀行の初代総裁も務めたアタリ氏であるが、欧州最大の知性とも称されるアタリ氏に、彼の提唱する「ポジティビズム」（積極主義）について訊いた。

彼は「私の提唱する『ポジティビズム』は『オプティミズム』（楽観主義）とは違うものです」と語り始め、次のような喩えを述べた。

「例えば、サッカーの試合において、観客として、自分の好きなチームが勝つだろうと思うのは、オプティミズムですが、ポジティビズムとは、自分がそのチームの選手として、いま負けていても、必ず勝てると信じ、力を尽くすことなのです」

誰にも分かる喩えであるが、筆者は、その言葉の力強さから、彼のこの思想の背後には、単なる知識人として「傍観者」的に振舞うことを拒否する「変革者」としての彼の精神があることを感じた。

　アタリ氏がそうした変革の精神を持つ理由は、彼が一九四三年生まれであることを考えるならば、彼の学生時代、一九六八年にフランス全土を覆い、世界中の学生運動に影響を与えた「五月革命」を経験したからであろう。そして、当時、世界の思想界で巨大なカリスマであったフランスの哲学者、ジャン・ポール・サルトルの「実存主義」（Existentialism）に影響を受けたからであろう。

　そのことは、彼が筆者との対話において「死に向き合うこと」「命の儚《はかな》さを考えること」の大切さを熱く語っていたことからも推察される。

　筆者もまた、『運気を磨く』や『すべては導かれている』などの著作において、同様の思想、「死生観を定めること」「いまを生き切ること」の大切さを語ってきたこともあり、単なる〝未来学者〟とは違い、「覚悟」と呼ぶべき人生観を語るアタリ氏に、深い共感を覚えた。

　しかし、彼の語る「ポジティビズム」に深い賛同の意を述べながらも、筆者は、この言葉には、さらに深い意味があることを述べた。

　すなわち、真の「ポジティビズム」とは、人生において起こる出来事を「ポジティブな出来事」と「ネガティブな出来事」に、二項対立的に分け、そのポジティブな出来事だけが起こることを望むという心の姿勢ではない。

真の「ポジティビズム」とは、人生で起こる出来事のすべてに「ポジティブな意味」があることを信じることである。そして、すべての出来事を糧として、しなやかに成長し、成熟していくことである。

すなわち、それがいかにネガティブに見える出来事であろうとも、その出来事は、我々が大切な何かを学ぶために与えられた天の配剤であることを信じ、その学びに正対して取り組む心の姿勢を、真の「ポジティビズム」と呼ぶのであろう。

先ほどのサッカーの試合に喩えるならば、もしベストを尽くして戦ってなお、敗北するという結果になったとしても、その敗北は、プレイヤーとして、チームとして、さらに成長していくために与えられた配剤であると受け止め、次の試合での勝利を目指し、その成長を実現していくことであろう。

そして、この「ポジティビズム」とは、我々個人の生き方において問われているだけではない。それは、人類の歩み方においても、深く問われている。

地球温暖化、大規模災害、パンデミック、貧富の差の拡大、テロの頻発、人種差別など、この二一世紀初頭において、なお、人類の現状は「ネガティブに見える出来事」に溢れている。

こうした時代だからこそ、我々は、それらの出来事から、未来に向けての教訓を深く学び、人類の歩み方を大きく変えていかなければならない。

このアタリ氏との対話の最後に、その教訓の最も大切なものについて、明確な意見の一致を見た。

それは、「資本主義の変革」である。

地球環境の危機も、パンデミックの危機も、世界経済の危機も、その根底には、現在の金融資本主義が内包する、深い矛盾と構造的問題がある。

いま、世界中で「持続可能資本主義」や「公益資本主義」などの考えが広がっているが、この時代に、我々は、「新たな資本主義」のビジョンを描き、その変革を実現していかなければならない。

もとより、それは、決して容易なことではないが、必ず、その変革を実現することはできる。

それを信じることが、まさに、いま、我々に求められている「ポジティビズム」であろう。

「不動心」の真の意味

かつて、人間の「不動心」について、興味深い心理学実験が行われた。

一人は、最近、座禅の修行を始めたばかりの若者。もう一人は、永年、禅寺での修行を積んだ禅師。その二人に、座禅中の脳波の測定実験を行ったのである。

最初、二人同時に、座禅による瞑想状態に入ってもらい、その脳波をそれぞれ測定したところ、二人の脳波は、いずれも整然とした波形を示し始めた。

そこで、実験者は、二人を驚かせるために、突如、大きな音を立てたのである。

すると、二人の脳波は、いずれも、大きく乱れた波形を示した。

すなわち、永年の厳しい修行を積んだ禅師も、修行の入口の若者と同様、その音によって心が乱れ、決して「不動心」ではなかったのである。

しかし、実は、この実験、その後の二人の脳波が、大きく違った。

若者の脳波は、音が静まった後も、いつまでも乱れ続けたが、禅師の脳波は、すみやかに、もとの整然とした状態に戻ったのである。

この興味深い実験結果は、「不動心」の真の意味を、教えてくれる。

「不動心」とは、「決して乱れぬ心」のことではない。

「不動心」とは、「乱れ続けぬ心」のこと。

すなわち、我々経営者やリーダーに求められる「不動心」とは、どのような危機が起こり、いかなる問題が生じても、「心が微動だにせぬ」という意味での「不動心」ではない。

生身の人間であるかぎり、一瞬、心が大きく揺らぐことがあってもよい。しばし、心が穏やかならぬ状況に陥ってもよい。

その直後、心が戻っていくべき場所を知っていること。それが、経営者やリーダーには、問われる。

あたかも、優れたテニスプレイヤーが、大きく体勢を崩しながら球を打ち返した後、すぐに、体勢を正位置に戻すように、優れた経営者やリーダーは、何があっても、すぐに、「心の正位置」、すなわち「平常心」や「静寂心」に戻ることができるのである。

では、永年の経営やマネジメントの体験を通じて、その心の修行を続けていくと、我々の心は、いかなる世界に向かっていくのか。

そのことを教えてくれる寓話がある。

仏道の修行をする師と弟子が、旅をしていた。

その旅の途上で、川に差し掛かったところ、若い女性が、川の前で立ち往生をしていた。着物の裾をあげ、川を渡ろうとしたのだが、流れが急で、渡れなかったのである。

それを見た弟子は、若い女性に心を惑わされてはならぬと、一人で川を渡ろうとした。しかし、師は、黙って歩み寄ると、その肌も露な女性を肩に担ぎ、川を渡った。

女性の礼の言葉を背に、二人の修行僧は、その先にある山道を登り始めた。

山道を登り終え、坂道を下り、その山を越えたところで、思い余った弟子が、耐え切れず、師に聞いた。

「あれは、許されぬことではないでしょうか？

若い女性を肩に担ぐなど、
修行の身で、してはならぬことではないでしょうか？」

それを聞いて、師は、微笑みながら答えた。

「おや、お前は、あの山を越えても、
まだ、あの女性を担いでいたか」

「担ぎ続けぬ心」

何物にもこだわらぬ天《てん》衣《い》無《む》縫《ほう》、融《ゆう》通《ずう》無《む》碍《げ》の心の世界。
それは、「乱れ続けぬ心」という「不動心」の修行の彼方にやってくるものであろう。

優秀な人材が突き当たる壁

永年、様々な人材の成長を支援するマネジメントの立場で仕事をしてきたが、しばしば、一つの逆説を見てきた。

それは、有名な大学を出て「優秀」と思われた人材が「成長の壁」に突き当たるという逆説である。

では、その「成長の壁」とは、何か。

筆者は、『成長の技法』という著書において、成長を止める「七つの壁」と、その壁を越える「七つの技法」を述べたが、ここでは、その要点を紹介しておこう。

まず、第一が「学歴の壁」。これは、有名大学を出た高学歴の人材が、しばしば突き当たる壁であるが、「学歴的優秀さ」と実社会における「職業的優秀さ」とが、全く違った能力であることに気がつかず、「知識の記憶力」や「論理的思考力」といった「学歴的能力」の次元に安住し、スキルやテクニックなど、「技術の修得力」や「感覚的判断力」といった高度な「職業的能力」を学ぼうとしないという問題である。こうした人材の成長を支えるには、まず、自身の持つ「職業的能力」の「棚卸し」をすることの大切さを教えることが第一歩となる。

第二は「経験の壁」。これは、優秀ではあるが、「仕事は、結果さえ出せばよい」との姿勢であるため、その仕事の「経験」の振り返りを行い、謙虚に課題を発見し、仕事の技術や心得を磨いていけないという壁である。こうした人材の成長を支えるには、「経験」を糧として技術や心得を高めていく「反省の技法」を具体的に教えることが第一歩となる。

第三は「感情の壁」。これは、せっかく優れた能力を持ちながら、しばしば自分の感情に流され、他人の気持ちが分からないため、人間関係で軋轢を生み、物事を上手く進められないという壁である。こうした人材には、会議において、自分の主張をする前に、まず、心を静め、一人一人の参加者の気持ちを想像する「心理推察の技法」を教えることが第一歩となる。

第四は「我流の壁」。これは、優秀で器用ではあるが、仕事の「基本」を疎かにし、「我流」で仕事に取り組んでいるため、プロフェッショナルとしては、あるレベルから上に伸びていけないという壁である。こうした人材は、優れた上司や先輩から謙虚に学ぼうという姿勢が弱いという傾向があるが、その背景にあるのは「自分の流儀で仕事はできる」という慢心である。従って、こうした人材には、まず、その慢心による「能力開発の機会損失」の大きさを教えることが第一歩となる。

第五は「人格の壁」。これは、緻密かつ真面目な性格で、的確に仕事をこなすが、いつも「一つの人格」で仕事に取り組むため、様々な状況に合わせて適切に人格を切り替え、柔軟に対応することができないという壁である。これは「優秀だが、頭が堅い」と評価されてしまう人材でもあるが、こうした人材には、世の中の優れたプロフェッショナルは、分野を問わず、誰もが「幾つもの人格」を持ち、それらの人格を状況に合わせて使い分けていることを教え、自分の中に幾つもの人格を育てていくことの必要性を教えることが第一歩となる。

第六は「エゴの壁」。これは、優秀ではあるが、エゴが強すぎるため、自己主張が強く、周りの人間を遠ざけてしまい、チームワークを壊してしまうという壁である。こうした人材は、あまり仲間を褒めることができず、仲間に対する競争心や嫉妬心で無用のエネルギーを使ってしまう傾向があり、何よりも、自分の「エゴ」が見えていないという問題を抱えている。従って、こうした人材には、ときおり静かに内観をして、「心の中のエゴの動き」を見つめるという心理技法を教えることが第一歩となる。

最後の第七は「他責の壁」。これは、仕事で「失敗」に直面したとき、その原因を「自分以外」に求めてしまうという壁である。こうした人材は、プライドが高く、過去の成功体験が心の拠り所となっているため、失敗に直面したとき、「他責」の意識に流され、責任回避や責任転嫁の言動に向かう傾向がある。こうした人材には、さらに成長していくためには、失敗の原因を「外」に求めず、「自分の何が至らなかったか」を考える姿勢、すなわち「引き受け」の姿勢の大切さを教えることが第一歩となる。

こう述べてくると、経営やマネジメントの立場にある読者は、自身が預かる社員や部下の中にも、優秀だが「成長の壁」に突き当たっている人材がいることに気づかれるだろう。

彼らの成長を支えるには、上記のように、まず、彼らが直面している「壁」を理解させることが第一歩となるが、実は、それは容易ではない。

なぜなら、耳の痛いアドバイスを受けて、なお、彼らが、それを聞き入れる気持ちになるためには、何よりも、我々の「人間力」と、部下や社員への「愛情」が問われるからである。

「死」とは何か

二〇二〇年公開の映画『オールド・ガード』では、シャーリーズ・セロン演じる主人公は、数百年の命を与えられ、様々な時代を、人々を救う英雄として生き続ける。

もとより、この映画は単なる娯楽作品であるが、現代の最先端生命科学は、この「超長寿命」の実現を追究しており、その急速な進歩は、数十年の間に、我々の寿命を飛躍的に延ばす可能性を示唆している。

しかし、仮に生命科学や医学が人間の寿命を無限に延ばしたとしても、それが「不死」の実現を意味するわけではない。なぜなら、人間が命を失うのは、病気や老化だけではないからである。人生においては、交通事故や火災など、人間の肉体そのものを破壊し、消滅させてしまう出来事がある。

もし、そうした出来事をも超え、人間の「不死」を実現しようとするならば、未来学者のレイ・カーツワイルが『ポスト・ヒューマン誕生』で予見したように、人間の頭脳の内容をすべてコンピュータに移植し、保存しておく技術の開発を待つしかないが、筆者は、そうした技術の可能性には懐疑的である。

この「不死への願望」は、人類始まって以来の「永遠の願望」でもあるが、筆者は、そもそも「不死」が実現した社会が、本当に幸せな社会であるかについても、疑問を抱いている。

かつて、漫画家の手塚治虫が、その代表作『火の鳥』において、主人公が「永遠の命」を与えられ、どれほどの悲惨と悲劇を経験しても死ねないことの苦悩から、最後には「殺してくれ！」と叫ぶシーンを描いているが、これは、手塚治虫らしい深い洞察であろう。

実際、人類の思想を顧みるならば、「死」というものは、必ずしも「恐怖」や「絶望」として受け止められてきたわけではない。「死」を「安らぎ」や「救い」と考える思想も、明確に存在してきた。

筆者は、若き日に、原子力工学の研究者として、唯物論的な思想を抱いて人生を歩んできた人間であるが、それゆえ、「死」とは「無に帰する」ことであり、それは、ときに、「生」の苦悩や苦痛、「エゴ」の葛藤や煩悶《はんもん》から解放される「救い」にもなると考えてきた。

しかし、一方、世の中には、「死後の世界」を想定する思想も、数多く存在する。

例えば、リドリー・スコット監督の名作映画『グラディエーター』では、主人公の死に際して、仲間は“See you again.”と語り、映画『X-ミッション』では、力尽きて崖から転落する寸前、仲間に対して“See you soon.”と語る人物が描かれている。

このように、「死後の世界」を想定し、その世界で再び会えるという物語は、ときに、愛する人を失ったとき、我々の心を深く癒してくれる。

また、スウェーデンの海洋学者、オットー・ペテルソンは、亡くなる直前、

「死に臨んだとき、私の最期の瞬間を支えてくれるものは、この先に何があるのかという、限りない好奇心だろう」


と語っている。

さらに、「輪廻転生」を信じるダライ・ラマ法王一四世は、あるインタビューで、いつものユーモアを交え、「死ぬのが楽しみだ」と答えている。

しかし、筆者は、一人の科学者・研究者として、唯物論思想を抱いていたがゆえに、これまで、こうした「死後の世界」を想定する思想は、人類が「死の恐怖」から逃れ、「死」を受容するための「救済の物語」であると考えていた。

だが、近年、筆者の専門でもあった最先端量子科学の世界では、我々の意識の記憶が、死後も存続している可能性を示唆する仮説が提示されている。

それは「ゼロ・ポイント・フィールド仮説」と呼ばれるものであり、この宇宙に遍在する

「量子真空」(Quantum Vacuum) の中に、この宇宙で起こった出来事のすべての情報が、ホログラフィックな波動情報として記録されている、という仮説である。

この仮説については、著書『死は存在しない』において詳述したが、もし、この仮説が正しいとすれば、我々の意識は、肉体が消滅した後も、何らかの形で存続している可能性がある。

しかし、仮に、そうした形で「死後の世界」が存在するとしても、やはり、この世界で与えられた、この人生は、一度かぎり。この人生には、いずれ終わりがやってくる。

そのことを覚悟するからこそ、我々は、かけがえの無いこの一瞬を慈しみ、精一杯に生きようとするのであろう。

されば、我々が気づくべき、一つの真実がある。

「死」があるからこそ、「生」が輝く。

そのことに気づいたとき、人生の風景が変わる。

そして、この人生を生き切る、覚悟が定まる。

「我欲を捨てよ」の危うさ

人間力について書かれた書籍を読むと、しばしば、「我欲を捨てよ」といった言葉が書かれている。そのため、我々は、その言葉を素朴に受け止め、自分の心の中の「我欲」、すなわち「小さなエゴ」を、「持ってはならない」と否定し、捨て去ろうとしてしまう。

しかし、我々の心の中の「我欲」や「エゴ」は、それほど簡単に、捨てられるものではない。なぜなら、どれほど、それを「捨て去った」と思っても、実は、ただそれを抑圧し、心の表面に出ないようにしているだけであり、そのため、「我欲」や「小さなエゴ」は、いずれ、心の奥深くで、密やかに動き出すからである。

例えば、同僚が先に昇進したとき、表面意識では、「自分は、同僚の昇進を妬むことなどない」と思うが、数か月後、その同僚が病気で休職になったとき、心の奥に、それを密かに喜ぶ自分が現れる。それが、「小さなエゴ」の厄介な姿である。

いや、それだけではない。この「我欲」や「小さなエゴ」は、しばしば、極めて巧妙な形で、我々の心を支配する。

例えば、「我欲を捨てよ」という言葉を読むと、我々は、自分も、そうした「我欲」に振り回されない人間になりたいと考える。しかし、自分の心の中で、「我欲を捨てなければ」と考えているうちは良いが、内省力の乏しい人間が、この言葉を周りに対して語り始めると、危うい状態が始まる。

なぜなら、周りに対して「我欲を捨てるべし」と語り始めると、いつのまにか、心の中に「私は、我欲を捨てた人間だ」との自己幻想が生まれてくるからである。そして、この自己幻想の背後には、必ず、「小さなエゴ」が忍び寄っている。

すなわち、周りに対して「我欲を捨てるべし」と語ることによって、周りから「あの人は、我欲を捨てた人間だ」と思われたい、自分を立派な人間だと思われたいという「小さなエゴ」が、密やかに忍び込んでくるのである。そして、多くの場合、「我欲を捨てよ」と語っている人間自身は、自分の心の中で蠢く、その「小さなエゴ」に気がついていない。

我々の心の中の「小さなエゴ」は、ときに、「小さなエゴを捨てた高潔な人間の姿」を演じ、満足を得ようとすることさえある。

では、どうすれば良いのか。「我欲」や「小さなエゴ」というものが、捨てようとしても、一時、心の奥深くに隠れるだけであり、しばしば、巧妙な擬態を示し、我々を自己幻想に陥らせる厄介なものであるならば、どうすればよいのか。

実は、古来、様々な宗教的技法において、「エゴ」に処する方法は、ただ一つとされている。

ただ、静かに見つめること。

それが、唯一の方法である。

例えば、自分の心の中で、誰かに対する「嫉妬心」が動き出したとき、「ああ、自分の心の中で、あの人に対する嫉妬心が動いている」と、ただ静かに見つめることである。

すなわち、「こんな嫉妬心を持ってはならぬ」と否定するのでもなく、「この嫉妬心こそが自分のバネになる」と肯定するのでもなく、ただ静かに、「ああ、自分の心の中で、嫉妬心が動いている」と見つめることである。

言葉にすれば、それだけのことであるが、実は、これを行ずることは容易ではない。

しかし、もし、それができたならば、不思議なほど、自分の心の中の「小さなエゴ」の動きは、静まっていく。

実は、「我欲」や「小さなエゴ」に処する、こうした成熟した「心の技法」は、古くから、仏教を始めとする古典において、「内観法」など、様々な形で語られているのだが、近年の表層的な古典解釈においては、「我欲を捨てよ」といった単純なメッセージが、「高潔な人物」を演じたがる「小さなエゴ」の蠢きとともに、広がる傾向がある。

かつて、浄土真宗の開祖・親鸞が、あれほど多くの信徒が周りに集まった晩年においても、

「心は蛇蝎のごとくなり」

という言葉を語っている。

この言葉は、どれほど修行をしても、心の中の「我欲」や「エゴ」は、容易に消えていかないことを述べたものであり、そのことを覚悟するからこそ、エゴの自己幻想に陥らないですむことの機微を語った言葉である。

すなわち、この親鸞の言葉は、宗教に触れ、人間成長の修行に取り組む者が陥りがちな、「自分は、我欲を捨てた人間だ」といった自己幻想への警句であり、「小さなエゴ」の巧妙で狡猾な動きへの警鐘に他ならない。

プロが育たない理由

プロ野球の大打者であった落合博満氏が、テレビで解説者をしていたときのこと。

その日のピッチャーは、切れ味の良いフォークボールが決まり、三振の山を築いていた。

それを見たアナウンサーが、聞いた。


「落合さんなら、あの鋭いフォーク、どう打ちますか？」

その質問に対して、落合氏は、飄々とした風情で答えた。


「ああ、あのフォークは、打てますよ。

あの球は、鋭く落ちるから、落ちてから打ったのでは、打てない。

だから、落ちる前に打てば、良いんですよ」

この話を聞いた瞬間、思わず「なるほど」と納得した。

しかし、すぐに、この話の怖さに気がついた。

打撃の奥義を語った、落合氏の見事な解説に、思わず、自分でもそのフォークが打てるように感じてしまった。その錯覚に気がついたからだ。

そして、それが、野球の世界だけでなく、すべてのプロフェッショナルの世界において、我々がいつも陥る「落し穴」であることに、気がついたからである。

永年の体験と厳しい修練を通じてしか掴むことのできない深い「智恵」を、単なる「知識」として学んだだけで、その「智恵」を身につけたと思い込んでしまう。

いま、書店に行けば、様々な分野のプロフェッショナルが、その「智恵」、すなわち、スキルやセンス、テクニックやノウハウについて語った本が溢れている。

それにもかかわらず、世の中を見渡すと、そのスキルやセンス、テクニックやノウハウを身につける人が少ない。

それは、本で「知識」を学んだだけで「智恵」を掴んだと思い込む錯覚が、理由であろう。

そして、我々がプロフェッショナルのスキルやセンス、テクニックやノウハウを掴めない、もう一つの理由を、やはりプロ野球の世界のエピソードが教えてくれる。

かつて「安打製造機」の異名をとった打撃の名手、張本勲選手のところに、若手選手が相談に来た。

「張本さん、理想のバッティング・フォームについて、教えて頂きたいのですが」

この質問に対して、張本選手は、こう答えた。

「理想のバッティング・フォーム？
もし、君がそれを知りたいのならば、一晩中、素振りをしなさい。
一晩中、素振りをし続けて、疲れ果てたときに出てくるフォーム、
それが、君にとって、一番無理のない理想のフォームだよ」

このエピソードも、大切なことを教えてくれる。

我々は、いつも、成功するための普遍的な方法があると思い、その理想的な方法を、手軽に身につけたいと考えてしまうのである。

いま、書店に溢れる『プロフェッショナルのテクニック』や『成功の法則』などの本。それらは、たしかに、実績も実力もあるプロフェッショナルが書いたものであり、実際に成功を遂げた人物が書いたものであるが、それを読む前に、自らの心に問うてみるべきであろう。

「自分は、この本を読めば、厳しい修練を積まずに高度なテクニックが掴めるという幻想を、心の深くに抱いているのではないか？」

「自分は、この本を読めば、楽をして成功を手に入れられるという安易な考えを、心の奥底に抱いているのではないか？」

そのことを自らに問うとき、昔から語られる一つの言葉が、胸に迫ってくる。

「敵は我にあり」

第六部

「神の技術」がもたらすもの

「制御不能社会」の出現

現代は、歴史学者や未来学者にとって、苦難の時代ではないだろうか。なぜなら、歴史の未来を予測することが、極めて困難な時代になったからである。もとより、未来を予測することは容易ではないが、かつて、「進歩史観」という言葉があったように、歴史は、紆余曲折を経ながらも、大局的には、ある方向に向かうと考えられていたからである。

例えば、「民主主義」という政治体制は、時間はかかっても、世界全体に広がっていくと考えられていた。特に、冷戦終結後は、「民主主義の勝利」が声高に語られ、米国の政治経済学者、フランシス・フクヤマは、著書『歴史の終わり』で、最終形態としての民主主義の勝利を語り、社会の永続的な経済的繁栄を語った。

しかし、現実の歴史を見るならば、ロシアによるウクライナ侵攻が起こり、民主主義の手本であるべき米国でも、虚偽の主張と大衆の扇動を平然と行う政治家によって民主主義の基盤は危機に瀕している。また、世界全体で見るならば、専制的政治体制の下に暮らす人々の数は、むしろ増大の一途を辿っている。そして、貧富の差も、人類の歴史始まって以来、最大の格差となり、貧困層の生活は、ますます苦しくなっている。

では、なぜ、現在の人類社会は、これほど、かつての未来予測を裏切る姿を示しているのか。

それは、現代の市場や社会や国家というシステムが、極めて高度な「複雑系」(Complex System) になったからである。

この「複雑系」という概念は、一九九〇年代にブームとなり、その後、メディアも識者も、あまり使わなくなったが、実は、これからの世界と歴史を考えていくとき、ますます重要になっていく概念である。

では、「複雑系」とは何か。

その本質を、人類学者、グレゴリー・ベイトソンは、次の言葉で述べている。

「複雑なものには、生命が宿る」

すなわち、市場や社会や国家というシステムが、内部での相互連関性を高め、高度に複雑になっていくと、「創発」や「自己組織化」と呼ばれる性質を強めていくため、あたかも「意志」を持った「生き物」のような挙動を示し始めるのである。

そして、この「複雑系社会」では、厄介なことに、「バタフライ効果」と呼ばれる現象が頻発するようになる。すなわち、市場や社会や国家というシステムの片隅の「小さなゆらぎ」が、システム全体に「巨大な変化」をもたらすようになるのである。

こうした性質を、筆者は、『複雑系の知』という著書において「摂動敏感性」という言葉で述べているが、この性質のため、我々は、現代の市場や社会や国家の未来を「予測」することができなくなる。なぜなら、どれほど精緻な理論モデルを用いて市場や社会や国家の未来を予測しても、そのシステムの片隅で偶発的に起こる小さな出来事が、その未来を大きく変えてしまうからである。

「複雑系」の持つ、こうした性質を、ノーベル賞化学者のイリヤ・プリゴジンは、著書『混沌からの秩序』で、「システムの片隅の、小さなゆらぎが、システムの進化の未来を、決定的に変えてしまう」と述べているが、実際、例えば、二〇〇〇年の米国大統領選挙で、フロリダ州の投票方式が「判読不明票」を大量に発生させる酷いもので無ければ、アル・ゴアが勝利し、地球温暖化対策の現状は、かなり異なったものとなっていただろう。また、福島第一原発の非常用電源設備が、海側ではなく山側に設置されていたならば、あの事故は起こらず、世界の原子力政策は、かなり異なったものになっていただろう。

そして、「複雑系社会」には、「摂動敏感性」に加えて、もう一つ、厄介な性質がある。

「管理不能性」や「制御不能性」と呼ばれる性質である。

すなわち、システムが、あたかも「意志」を持った「生き物」のように動くため、人為的に管理し、制御することが極めて難しくなるのである。

例えば、金融市場を自由に操作しようとして、リーマン・ショックを引き起こした金融工学の失敗は、その典型的な事例である。

では、この「生命的システム」としての市場や社会や国家に、どう処していけば良いのか。

実は、その方法を見出すことが、地球規模の諸問題に直面する人類にとって、二一世紀最大のテーマなのであるが、残念ながら、その方法の探求は、ほとんど進んでいない。

その根本的な理由は、欧米の変革論が、基本的に「機械的世界観」と「操作主義」に立脚しているからであり、この予測不能・制御不能の「生命的システム」である「複雑系社会」に処するには、「生命的世界観」に基づいた深い叡智が求められるのである。

では、その叡智は、どこにあるか。

その叡智は、実は、「東洋思想」の中に眠っている。

「可能的自我」への共感

現在、様々な倫理的、社会的問題を孕《はら》みながらも、世界各国で実用化に向けた開発が急速に進められているクローン技術。

このクローン技術をテーマとしたアメリカのＳＦ映画に、二〇〇〇年に公開された『シックス・デイ』という作品がある。

後に、カリフォルニア州知事を務め俳優、アーノルド・シュワルツェネッガーが主人公アダムを演じるこの映画は、「自分とは誰か」という意味でも、深い問いを投げかける映画である。

設定された舞台は未来。クローン技術の発達によって様々なクローン動物が生み出され、人類の生活に役立てられていたが、法律により、クローン人間を創り出すことは、厳しく禁じられていた。

この法律は、旧約聖書の創世記において、神が人間を六日目に創ったことに由来し、「シックス・デイ法」と名付けられていたが、アダムは、誕生日の夜、仕事を終えて自宅に帰ったところ、そこに、もう一人の自分がいて、家族とともに誕生日を祝っている光景を見て驚く。

このもう一人の自分がクローン人間であると気がつくところから物語は始まるが、二転三転する展開の中で、「いったい、誰がクローンの自分で、誰が本物の自分か」という根源的な問題に直面する。

また、同様に、クローン人間の問題を扱ったSF映画に、二〇一〇年に公開されたイギリス映画『わたしを離さないで』がある。これは、二〇一七年にノーベル文学賞を受賞した日系英国人作家、カズオ・イシグロの同名小説を映画化したものであるが、この映画も、小説も、我々に、深く根源的な問いを投げかける。

これは、人間の寿命を延ばすために創り出され、臓器提供によって短い生を終えていく、クローン人間の若者たちの悲哀を描いた作品であるが、こうした技術と制度が現実化したとき、果たして、そのクローン人間の人権はどうなるのか、その哀しみと苦しみを、誰が救うことができるのかという、極めて難しい問題を我々に突きつけてくる。

このように、現在、急速に発達しつつあるクローン技術は、クローン人間というものを生み出した瞬間に、我々人間に、「自分とは誰か」というアイデンティティの問題と、「クローン人間への共感」というヒューマニズムの問題を投げかけてくる。

そして、そのことを理解するならば、我々が、一度、深く考えてみるべき問いがある。

もし、自分のクローン人間が創られ、そのクローン人間が一つの人生を歩み、ある年齢になったとき、目の前に現れたならば、
我々は、その姿に、何を見るのだろうか。

そのクローン人間は、自分とまったく同じ遺伝子を持った、もう一人の自分。
そのクローン人間と自分との違いは、これまでの年月に与えられた環境と経験の違いだけ。
そのクローン人間を見つめるとき、我々は、何を感じるのだろうか。何を思うのだろうか。

おそらく、我々は、一つの言葉を、心に浮かべるのではないだろうか。

「可能的自我」

言葉を換えれば、「全く別の人生を歩んだときの自分の姿」。
もし、人生において、これまでとは違った環境が与えられ、これまでとは違った経験が与えられたならば、そのようになったであろう、自分の姿。
我々は、自身のクローン人間の中に、その「可能的自我」を、否定しがたい事実として見る

だろう。そして、そのクローン人間の人生がどのようなものであれ、我々は、そこに、深い共感を覚えるだろう。

しかし、そうした空想的な思索を巡らすとき、その思索の深まりの中で、我々は、ふと、一つの真実に気がつく。

たとえ、それが自分のクローン人間でなくとも、同じ遺伝子の人間でなくとも、一人の人間として、この地球上に生まれ、異なった環境で育ち、異なった人生を生きる、すべての人々。

その姿もまた、本当は、我々の「可能的自我」であることに、気がつく。

直観を閃かせる技法

我々は、日々の仕事と生活の中で、極めて難しい問題に直面し、最後は「直観」で決めなければならない状況に置かれるときがある。

では、そのとき、「直観」を閃《ひらめ》かせる技法というものがあるのだろうか。

その技法について考えさせる、興味深いエピソードがある。実際にあった話である。

ある企業で、商品開発リーダーのＡ氏が、重要な商品開発の意思決定に直面した。

市場の調査と分析も徹底的に行い、会議でも衆知を集めて議論を尽くしたのだが、それでも、この商品開発に踏み切るべきか否か、メンバーの意見が定まらない。

そして、誰よりも、この意思決定の責任者であるＡリーダー自身が、決断できないのである。

典型的なハイリスク・ハイリターンの商品開発プロジェクトであり、不確実性が大きく、極めて難しい意思決定であった。

会議のメンバーからは、「Aさん、決めて下さい」との無言の声が伝わってくる。

メンバーは、Aリーダーの力を信頼している。

最後はAリーダーの直観力に委ねようとの雰囲気である。

そうした雰囲気のなかで、Aリーダーは、目を閉じ、しばし黙して考え込んでいたが、ふと目を開けて言った。


「よし、サイコロを振って、決めよう」


唖然とするメンバーの前で、偶数ならプロジェクトの実施決定、奇数ならプロジェクトの実施見送りと宣言し、Aリーダーは、意を決し、静かにサイコロを振った。

全員が固唾を飲んで注視するなか、果たしてサイコロは「偶数」と出た。

プロジェクトの「実施決定」である。

その瞬間に、Aリーダーが言った。


「やはり、このプロジェクトの実施は見送ろう」

さらに唖然とするメンバーを前に、彼は、言葉を続けた。

「いま、サイコロが『実施決定』を示した瞬間に、
心の奥深くから『いや、違う』との声が聞こえた。
自分の直観は、やはりプロジェクトの実施見送りを教えている。
自分は、その直観を信じるよ」

彼は、自身の「直観」を閃かせるために、敢えてサイコロを振ったのである。議論が行き詰まった状況において、敢えて結論をサイコロに託し、退路を断ち、自らを追い詰めたのである。そして、不思議なことに、「直観」というものは、退路が断たれ、追い詰められた状況において、閃くことが多い。

実は、一流のプロフェッショナルは、意識的にも、無意識的にも、こうした形での「直観を閃かせる技法」を身につけている。

例えば、短編小説家や随筆家などで、締切が迫ってこないと筆が進まないという人物がいる。これは、決して怠惰なのではなく、「もう後が無い」と追い詰められたとき、アイデアが直観的に閃くということを、経験的に知っているからである。

その意味で、一流のプロフェッショナルは、分野を問わず、「直観」を閃かせるために、自らの退路を断ち、自らを追い詰める技法を身につけている。

例えば、永年にわたりテレビで生放送の時事番組を担当した著名なキャスターは、「生放送の番組の方が、録画の番組よりも、ゲストから良いコメントを引き出せる」と語っている。

これも「撮り直しができない」という緊張感の中で、優れた直観が閃き、良いコメントが生まれることを述べている。

では、「直観」を閃かせるためには、ただ、退路を断ち、自らを追い詰めればよいのか。

かつて、プロ野球のイチロー選手が、世界一を懸けた大試合を前に、「プレッシャーは無いか」との質問に対し、こう答えている。

「それは、胃が痛くなるほどの大変なプレッシャーですよ。

しかし、そのプレッシャーを楽しんでいる、もう一人の自分もいるのですね」

追い詰められた自分を楽しむ、もう一人の自分。

それが生まれてきたとき、この「直観力の技法」は、佳境に入っていく。

「神の技術」がもたらすもの

最近、将棋の名人戦などの対局を見ていると、不思議な感覚に襲われる。

なぜなら、天才的な頭脳を持ったプロ棋士同士が、その思考の極限で選んだ一手一手について、将棋ＡＩが、あたかも「神の眼」で見ているかのごとく、どちらの棋士が何％対何％で優勢かを評価し、勝利のために指すべき次の最善手を、テレビの画面上に次々と示すからである。

そして、この将棋ＡＩは、判断が極めて難しい局面で、しばしば、人間では決して思いつかない絶妙手を表示するが、一方、将棋ＡＩを相手として修練を積んできた藤井聡太などの天才的若手棋士は、しばしば、その絶妙手を指すため、観戦者の間で、大きなどよめきが生じる。

こうした光景を見ていると、筆者は、未来の将棋はどうなっていくのかを想像してしまう。

なぜなら、技術の進歩に伴って、いずれ、誰でも、脳にＡＩチップを埋め込むことができるようになり、そうした人間同士が将棋の対局を行うことが起こるからである。そのとき、将棋の対局は、頭脳の優劣の戦いではなく、埋め込んだＡＩチップの性能の優劣の戦いになってしまうのだろう。

さらに想像を広げるならば、こうした技術が普及すると、学校教育や試験制度の意味も、大きく変わってしまうだろう。

なぜなら、頭脳にＡＩが組み込まれたとき、「知識の記憶力」や「論理的思考力」は、誰もが高度に発揮できるものとなり、学校教育や試験制度において、こうした能力を問うことは意味が無くなるだろう。その結果、人間の個性的な能力として評価されるのは、スキルやセンス、テクニックやノウハウなどを経験から掴む力、すなわち「技能の修得力」であり、直観や感性、想像や共感によって物事を判断する力、「感覚的判断力」になっていくだろう。

このように、ＡＩチップの技術によって、我々は、容易に「知識の記憶力」や「論理的思考力」を強化することができるようになるが、それは、人間が「サイボーグ」になっていくことを意味している。サイボーグとは、体に機械を組み込んで腕力や脚力を強化した存在だけではない。脳にＡＩを埋め込んで知的能力を高めた存在をも意味しているからである。

こう述べてくると、人間は、将来、ＡＩ技術によって、その知的能力を飛躍的に拡張することができるという「夢のある話」に聞こえるかもしれない。

しかし、現実の社会を見つめるならば、こうした能力拡張技術の出現は、決して、誰にとっても「夢のある話」ではないことに気づかされる。

なぜなら、現実には、ロボティックス技術を用いて身体的能力を強化し、ＡＩ技術を用いて知的能力を高めることができるのは、一握りの富裕層だけになるからである。

それは、本来、教育を受けることによって、誰もが能力を高めることができるにもかかわらず、実際には、経済的貧困のために、まともな教育が受けられない人々が数多く存在している「格差社会」の現実を見れば、容易に想像できることである。

そして、この問題は、別の未来技術に目を向けるならば、さらに深刻な話になっていく。

それは、「デザイナー・ベイビー」の技術である。

すなわち、遠くない将来、遺伝子工学の発達によって、生まれてくる子供の能力を、遺伝子レベルで事前に操作できるようになり、希望すれば、身体的、知的に優れた性質だけを持った子供を創ることができるようになるだろう。

では、そうした時代に、何が起こるのか。

その未来社会を描いたのが、ＳＦ映画『ガタカ』である。

これは「デザイナー・ベイビー」が可能になった社会で、遺伝子操作を受けた優秀な「適格人間」と、遺伝子操作を受けることができず、平凡な能力を持って生まれた「不適格人間」が併存する社会である。

すなわち、それは、遺伝子的なレベルで、すでに圧倒的な能力差が定まってしまっている社会、「究極の格差社会」の出現であるが、こうした社会を想像するならば、それが、現在の「経済的格差社会」をも遥かに超えた、「悪夢」と呼ぶべき社会であることに気がつく。

富裕層は、生まれてくる子供の遺伝子操作に金をかけることができ、貧困層はそれができないため、子供の能力に決定的な差が生まれてしまうという「遺伝子格差社会」。

その社会は、人間の絶対的能力差に基づく「新たな階級社会」を創り出してしまうだろう。

このように、人工知能や遺伝子操作の技術は、現在の人間からは想像もつかない「驚異的な能力」を持った人間を創り出すという意味で、「神の技術」とも呼べるものであるが、その「神」が、多くの人々に幸せを与える「博愛の神」となるのか、一部の人間に絶対的優越を与える「偏愛の神」となるのか、それは、すべて、資本主義を始めとする、我々の社会の在り方によって決まる。

我々は、そのことを、決して忘れてはならない。

創造という行為の秘密

若き日に、ビジネスパーソンとして仕事をしていた時代、上司から注意を受けた。

「競合企業もいる会議の場では、大切なアイデアを話すな。アイデアを盗まれるぞ…」

この上司の忠告は、ビジネスや人生における処世の知恵としては、正しいアドバイスであり、自分のことを思って言ってくれた上司には、感謝している。

しかし、一方で、内心、この「盗まれるぞ…」という言葉には、抵抗を感じていた。

なぜなら、この言葉と発想には、無意識に自分の「創造性」を抑えてしまう落し穴があると思っていたからである。

すなわち、我々が「アイデアを盗まれる」という感覚を持つとき、その意識のすぐ奥に、「自分が思いつくアイデアの数には、限りがある。だから、盗まれないようにしなければ」という無意識の自己限定が生じてしまうのである。そして、我々の潜在意識が、こうした自己限定を抱くとき、恐ろしいほどに、アイデアが出なくなってしまうのである。

それは、永年、シンクタンクの道を歩み、企画プロフェッショナルの世界を歩んできた筆者にとっては、体験的真実である。

実際、自身の経験に即して言えば、アイデアとは、むしろオープンに語れば語るほど、心の奥深くから湧き上がってくるものである。逆に、「アイデアを盗まれる」という強迫観念を持つと、生まれてくるアイデアにも限界があり、新たなアイデアが次々と湧き上がってくるという状況にはならない。

もし、世の中に「創造性のマネジメント」というものがあるならば、その要諦は、ブレーン・ストーミングやアイデア・フラッシュのやり方といった表層的な技法ではなく、自身の中にある「無意識の自己限定」を、いかに取り払うかという「潜在意識のマネジメント」なのであろう。しかし、残念ながら、世の中で、そのことを深く論じている著書には、あまりお目にかからない。


では、「自分が思いつくアイデアの数には、限りがある」「いずれ、アイデアが枯渇してしまう」といった無意識の自己限定を払拭し、「自分の中から、アイデアは、泉のように湧き上がってくる」というポジティブな感覚で潜在意識を満たすには、どうすれば良いのか。

誤解を恐れずに言えば、そのためには、一つの信念を心に抱くことである。

アイデアとは、
自分という「小さな存在」が生み出すものではなく、
自分を超えた「大いなる何か」から降りてくるものである。

もし、我々が、そうした感覚を、心の奥深くに信念として抱くことができるならば、アイデアは、不思議なほど、降りてくる。

これは、決して、何か神秘主義的なことを述べているのではない。実際、そうした「大いなる何か」が存在するか否かは、誰も証明できない。

しかし、古今東西、才能に溢れ、創造性に溢れた思想家、学者、芸術家、発明家、実業家などの発想法を調べてみると、その多くが、「アイデアが、どこかから降りてくる」という感覚を持っていたことは、事実である。

また、筆者は、特別な才能に恵まれた者ではないが、それにもかかわらず、三〇年間に一〇〇冊余りの著書を上梓し、テーマも、未来予測や社会動向、資本主義や経営戦略、情報革命や知識社会、働き方や生き方など、多岐にわたって様々なメッセージを語ってきた。

しかし、いま、これらの著書を手に取って見るとき、「これは、自分が書いた本なのだろうか…」という不思議な感覚に包まれる。

それらの著書は、いずれも、核となるアイデアが降りてきた瞬間に、必要な情報が自然に集まり、編集者との対話が深まり、書物としての構成が創発的に生まれてきたものである。

では、「アイデアは『大いなる何か』から降りてくる」という感覚が大切であるならば、我々は、どのようにして、そうした感覚を研ぎ澄ましていくことができるのか。

その答えを示唆するのが、かつて、版画家、棟方《むなかた》志功《しこう》が語った言葉であろう。

「我が業は、我が為すにあらず」

然り、この人生で自分が成し遂げる仕事は、実は、自分が成し遂げる仕事ではない。

大いなる何かが、自分という存在を通じて、世の中のために成し遂げる仕事である。

その覚悟を心に定めるとき、不思議なほど、様々なアイデアや発想が、降りてくる。

そして、その覚悟こそが、本来、「志」や「使命感」の根底にあるべきものに他ならない。

リーダーの「演じる力」

二〇二二年二月に起こったロシア軍のウクライナ侵攻は、当初、数日で首都キーウを制圧し、ウクライナ全土を掌握できると考えていたロシア側の楽観的な見込みは大きく外れ、ウクライナ軍の必死の抵抗の前に、予想外の苦戦を強いられてきた。

その理由として、ウクライナ軍の士気の高さと防衛力、欧米からの支援、ロシア軍の訓練不足と戦略的誤りなど、様々な要因が語られるが、その重要な要因の一つが、ウクライナのゼレンスキー大統領の強いリーダーシップであろう。

ロシア側は、当初、「一斉侵攻が始まれば、コメディアン出身のゼレンスキーなどは、早々と国外に逃亡する」と予想していたと思われるが、実際には、彼は、猛攻に晒される首都キーウに踏みとどまり、毎日、メディアとＳＮＳを通じて、ウクライナ国民と軍隊、そして、全世界の人々に、強力なメッセージを伝え続け、「勇気と信念のある国家リーダー」を見事に演じ切っている。

ここで「演じる」という言葉を使うと、日本という国では、この言葉を「欺《あざむ》く」「騙《だま》す」という否定的な意味に捉える文化があるため、疑問を覚える読者がいるかもしれない。

しかし、「リーダーシップ」とは、生まれつき与えられているものではなく、実は、「演じる」ことによって後天的に身につけていくものである。それは、様々な優れたリーダーの姿から学び、自分が理想とするリーダー像を心に描き、そうしたリーダー像を意識的に「演じる」ことによって、経験を重ねながら身につけていくものである。

それゆえ、欧米では、リーダーの「演じる力」を重視し、フランスのエリート養成機関である国立行政学院（ＥＮＡ）や米国のビジネススクールなどでは、この「リーダーを演じる力」を身につける教程を持っている。

そして、リーダーシップというものが「演じる」ものであるかぎり、プロフェッショナルとして「演じる力」を身につけた人間は、ときに、リーダーとして、見事な能力を発揮する。

その典型的な人物が、映画俳優出身の元米国大統領、ロナルド・レーガンであろう。

彼の政治信条や実行した政策への賛否はさておき、彼は、国民の望むリーダー像を「演じる」ことにおいては、心憎いほどの能力を持っていた。

例えば、一九八三年、当時のソビエト連邦に核抑止力で対抗するための「スター・ウォーズ計画」を発表するときのレーガンは、見事なほど「国家を守る強いリーダー」の姿を演じ、一方、一九八六年のスペースシャトル・チャレンジャー号の爆発事故において、テレビを通じて国民に語りかけるときの彼は、「慈愛に満ちた国家リーダー」の姿を演じ、そのメッセージは、国民の心に深く響くものであった。

その背景には、彼が俳優として「演じる」ことのプロフェッショナルであったことがあるが、されば、コメディアン出身のゼレンスキー大統領が、この国家の未曽有の危機において、ロシア側の予想を覆し、「勇気と信念に満ちた国家リーダー」を演じ切っていることは、決して不思議ではない。

実際、映画の世界を見ても、コメディアン出身の名優は、二度のアカデミー賞に輝くトム・ハンクスを始め、ロビン・ウィリアムズ、エリック・バナなど、数多く挙げられる。

では、なぜ、我々は、「リーダーシップ」というものを、望ましいリーダー像を「演じる」ことによって身につけていくことができるのか。

それは、筆者自身の体験から得た確信でもあるが、『人は、誰もが「多重人格」』という著書で述べたように、実は、我々の中には、リーダー人格も含め、様々な人格が眠っているからである。そのため、リーダーの姿を意識的に演じていると、当初は、様にならないが、それを続けていると、眠っていたリーダー人格が徐々に表に現れ、少しずつ強化され、いつか天与の人格のようになってくるのである。

この後天的な人格形成の過程を、昔から、この日本では、「様になってきた」「板についてきた」「風格が出てきた」といった言葉で表してきた。

そのことを理解するならば、自身のリーダーシップに自信が持てない人は、しばし、自らにこう問うべきであろう。

「自分にとって、理想的なリーダー像とは、何か。
自分は、いま、そのリーダー像を心に描き、
それを身につけるために、
日々、『演じる』という修業を行っているだろうか」

もし、読者が、その自問自答を続け、その修業を続けるならば、いつか、必ず、自分の中に、優れたリーダーが眠っていたことに気づくだろう。

二一世紀の「利他主義」

かつて「科学と宗教の対話」という場に招かれ、チベットのダライ・ラマ法王一四世と対話する機会を得たが、この場で、法王は、いつものようにユーモアに溢れた表情で、何度も「慈悲」（Compassion）の大切さを語っていた。

この「慈悲」という言葉は「博愛」（Philanthropy）や「利他」（Altruism）という言葉とともに、世界中で、多くの宗教者によって語られてきた言葉である。

しかし、宗教数千年の歴史において、こうした言葉が語り続けられてきたにもかかわらず、現実の世界は、いまだ、政治も、経済も、社会も、その対極の「利己的な衝動」によって動かされている。

その根本的な理由は、我々の心の中に「自己中心的なエゴ」が存在し、それが、しばしば、目の前の損得に振り回され、「利己的」に動くからである。

この「エゴ」は、どれほど強く「エゴを捨てよう」と思っても、それで消えていくほど生易しいものではない。それは、ときに、慈善事業や社会貢献に関わるときでさえ、「偽善」や

「虚栄」の心として密やかに忍び込んでくる、厄介なものである。

では、この「人間のエゴ」があるかぎり、社会において、真に「慈悲」や「博愛」や「利他」の精神を広げていくことは、不可能なのであろうか。

その問いへの一つの答えを示しているのが、フランスの思想家、ジャック・アタリが語る「合理的利他主義」（Rational Altruism）の思想であろう。

これは、我々が「利他的」な行動を取るべきなのは、「自己犠牲」の精神からではなく、その行動が、自分にとっての「利益」になるからであり、「幸せ」に繋がるからである、との思想である。

例えば、親が子供を献身的に育てるのは、それが「生き甲斐」や「喜び」に繋がるからであり、困っている隣人を助けるのは、そうした助け合いの文化が、自分にとっての「安心」に繋がるからであるとの思想。

また、我々が、気候危機を始めとする地球環境問題の解決に取り組み、未来の世代に、安全で快適な環境を残そうとするのは、未来の世代が希望を持って生きられることが、現在の世代の将来にとっても有益だからであるとの思想。

それが、「合理的利他主義」と呼ばれるものである。

もとより、筆者は、人間が本性として持つ「慈悲の心」や「博愛の精神」を信じる人間であるが、このアタリの「合理的利他主義」の思想は、ただ素朴に「犠牲的精神」を鼓舞し、「私欲を捨てよ」と唱える思想に比べるならば、人間の本源的なエゴに処するための、より深い、賢明な思想であろう。

そして、この思想に基づくならば、近視眼的思考で「破壊的な利己主義」に走る人間は、「慈悲」や「博愛」や「利他」の精神が欠如しているのではなく、むしろ、「何が自分にとって本当の利益となるのか」「何が本当に自分の幸福に繫がるのか」を正しく理解する「知性」が欠如していると言える。

では、二一世紀の世界において、多くの人々が、この「合理的利他主義」を身につけていくためには、どうすれば良いのか。

その一つの道は、やはり、「教育」と「啓蒙」であろう。すなわち、近視眼的思考による「破壊的な利己主義」が、どのような結果をもたらすのかを、科学的理論や客観的事実、合理的説明によって、多くの人々が理解するようにしていくことである。

例えば、二〇〇七年のノーベル平和賞受賞者である、元米国副大統領のアル・ゴアが、著書と映画『不都合な真実』で行おうとしたことは、地球温暖化の引き起こす深刻な危機についての、教育と啓蒙であった。

しかし、人々が「合理的利他主義」を身につけるためには、もう一つ、忘れてはならない道がある。

それは、それぞれの国に古くから存在する「叡智の文化」に、光を当てることである。

例えば、この日本においては、昔から、困っている誰かを助け、お礼を言われたとき、「お互い様です」と答える「助け合い」の文化があった。

また、この国では、「情けは人のためならず」という言葉も語られてきた。これは「他人を助けることが、自分のためにもなる」との教えを伝える「叡智の言葉」に他ならない。

すなわち、アタリの語る「合理的利他主義」は、決して新しい思想ではない。

どの国にも、「他人の幸せを大切にすることが、自分の幸せに繋がる」という「叡智の文化」が存在したのである。それが、金融資本主義の「近視眼的な利己主義」の奔流の中で、しばし、見失われてきただけなのである。

されば、この国に、より良き社会を築くために、我々は、海の彼方ではなく、足下の大地をこそ見つめなければならない。

そこには、日本的精神と呼ぶべき、深い「叡智の言葉」が眠っている。

自利は、利他なり。利他は、自利なり。

「卒業証書」を手にするとき

毎年、春を迎えると、卒業証書を手にした高校生や大学生が、新たな気持ちで実社会での歩みを始める。

そして、春は、転属や転勤、転職の季節でもある。特に、転職においては、誰もが、元の職場への色々な思いを抱きながら、様々な希望や不安とともに、新たな職場へと移っていく。

かつて、筆者が、あるシンクタンクでマネジメントの立場にあったとき、中途採用のため、一〇年の間に数百人の人材と面接をした経験がある。

その経験の中で、採用させて頂いた人材の転職後の歩みを見ていて、一つ、深く感じたことがある。

それは、転職の面接で、前職での人間関係について不満や批判を述べる人は、多くの場合、残念なことに、新たな職場でも、同様の人間関係の問題に突き当たるということである。

逆に、転職面接で、前職での人間関係について、感謝の言葉を述べる人は、新たな職場でも、周りと良い関係を築き、活躍することが多い。

もとより、世の中を見渡せば、どこにも理想的な職場は無い。どの職場も、いずれ、何かの問題を抱えている。そして、人間であるかぎり、誰といえども、前の職場で、色々な人間関係での苦労や悩みはあったであろう。

されば、この二つのタイプの人の違いは、実は、前の職場で否定的な人間関係が有ったか無かったかではない。その職場で与えられた人間関係を肯定的に解釈する力を持っているか否かの違いであろう。

実際、後者の人は、面接で「前職で、人間関係で嫌なことは無かったですか」と水を向けても、「ええ、やはり色々なことがありましたが、そのお陰で、自分自身の至らぬ点にも気がつき、少しは成長することができました」といった答えを述べる。

一方、前者の人は、前職での色々な人間関係の問題が、すべて「自分以外の誰か」に原因があると解釈する傾向がある。そして、その「自分以外の誰か」という問題から逃げるようにして、転職を求めてやってくる。

そうした方々の姿を拝見していると、自分自身の経験も含め、昔から語られる一つの警句を思い出す。

「卒業しない試験は、追いかけてくる」

これは、たしかにその通り。例えば、ある職場で、ある上司との人間関係で悩む。そこで、その関係から逃れるように転職し、問題が解決したかと思うと、その新たな職場での先輩が、前職の上司と似たタイプの人物であった、といったことが起こるのである。

そして、そのとき、内省力のある人は、気がつく。

前職での人間関係の摩擦は、あの上司に、すべての原因があったのではなく、自分にも、良い人間関係を築く力が足りなかったことに、気がつく。そして、前の職場で卒業しなかった「試験」が、新たな職場にも追いかけてきたことに、気がつく。

では、この「試験」に合格すると、何が起こるのか。

その職場での人間関係に処する力など、自分にとっての「成長の課題」に気づき、成長することによって、その課題を超えたとき、何が起こるのか。

「卒業証書」が届く。

それは、その職場からの転属や転勤、ときに転職などの形であるが、我々が、その時期の「成長の課題」を超え、与えられた「試験」に合格すると、不思議なほどのタイミングで、「卒業証書」が届く。

　では、それが「卒業証書」であることが、どうして分かるのか。心に「感謝の思い」が生まれてくるからである。

　転属や転勤、転職などの形で、その職場を離れるとき、決して「ああ、この人間関係の苦労から逃れられる」といった否定的な心境ではなく、「ああ、この職場でも成長させて頂いた。色々な人間関係の悩みや苦労を与えられたが、どれも、自分自身の心の成長のために、必要なものであった。有り難いことであった」という心境が訪れる。

　そして、その心境が訪れたとき、新たな職場で、前職での経験を肯定的に語る自分、ときに感謝の思いを持って語る自分に、気がつくだろう。

　そして、その「卒業証書」を手にしたとき、新たな職場で、なぜか不思議なほど、素晴らしい挑戦の機会や活躍の機会が与えられるだろう。

　それゆえ、我々が、心の中に「卒業しない試験は、追いかけてくる」という覚悟を定め、人間関係の苦労を自身の人間成長への糧とする歩みを積み重ねていくならば、いつか、気がつく。

　我々の人生は、見事なほど、「大いなる何か」に導かれていることに、気がつくだろう。

「完璧主義者」の真の才能

近年、ＤＶＤやブルーレイという映像メディアが主流になったことによって、誰もが手軽に高精細度の映像とリアルな音響を楽しめるようになった。そして、もう一つ、誰もが楽しめるようになったのが、「音声解説」である。

これは、その映画を作った監督や制作者が、映画の全編のシーンを流しながら、それぞれのシーンの意図や俳優の演技、制作の裏話などを自由に語る音声を収録したものである。

この監督や制作者の音声解説は、映画関係者や映画ファンにとって興味深いだけでなく、映像や音楽、造形や意匠、文章や言葉など、分野を問わず、創造的な作品づくりに取り組むプロフェッショナルにとっては、極めて学びの多いものである。

例えば、ＳＦ映画の名作『ソラリス』の音声解説には、監督のスティーブン・ソダーバーグとプロデューサーのジェームズ・キャメロンが、全シーンを流しながら自由に語り合っている会話が収録されているが、興味深いことに、その中に、ソダーバーグの「完璧主義者」としての姿を象徴する会話がある。

それは、二人の登場人物の対話のシーンであるが、その人物の顔を照らす何気ない光の動きについて、ソダーバーグが、嘆きを抑えるように呟いた。

「光の動きが速い。見るたびに後悔する。

他のシーンと比べてテンポが合っていないから、頭に来る」

ソダーバーグの、こうした細部にこだわる姿勢は、たしかに、彼が「完璧主義者」と呼ばれる理由でもあるが、このような姿勢を示すのは、決して彼だけではない。

この音声解説では、ソダーバーグ監督の嘆きに同情しながらも、その気持ちをなだめる立場のキャメロン。しかし、彼自身、徹底的に細部にこだわる「完璧主義者」である。

彼が監督として制作した映画『タイタニック』は、一九九七年度のアカデミー賞一一部門を獲得した名作であるが、その制作において、彼は、俳優への細やかな演技指導から、舞台セットの配置、小道具作りに至るまで、時間と労力を惜しむことなく自分自身で指示を出し、納得のいく作品を創ろうとした。

実は、分野を問わず、一流のプロフェッショナルには、仕事や作品の細部を決して疎かにせず、完璧を期する人物が多い。

では、なぜ、彼らは、仕事や作品の細部にこだわるのか。

それは、昔から、一つの格言が語られるからであろう。


「神は、細部に宿る」


たしかに、この格言通り、作品の生命力は、つい見落としてしまうような細部にこそ宿っている。

しかし、我々は、こうした「完璧主義者」と評されるプロフェッショナルを見ると、しばしば、その才能の本質を誤解してしまう。

作品の細部に
徹底的にこだわることのできる集中力

それが彼らの才能であると思ってしまう。

しかし、実は、そうではない。

もし、「完璧主義者」と評されるプロフェッショナルが、本当に、すべての細部にこだわって仕事をしているならば、その人物は、必ず、健康を害してしまうか、精神に異常を生じてしまうだろう。
その当然のことを理解するとき、我々は、「完璧主義者」と評されるプロフェッショナルが、もう一つの優れた才能を持っていることに気がつく。

　こだわるべき細部と、
　こだわらなくともよい細部を、見分ける力

それこそが、彼らの隠れた才能なのであろう。
しかし、それは、何かの分析力や論理思考などの力ではない。
それは、直観力や皮膚感覚と呼ばれる力。

では、その直観力や皮膚感覚は、どこから生まれてくるのか。
それはやはり、創作者に、究極、問われるもの。
「作品への深い愛着」であろう。

第七部

思想を紡ぎ出す読書

人類の幼年期の終わり

かつて、SF小説の巨匠、アーサー・C・クラークが、『地球幼年期の終わり』（Childhood's End）という作品を遺している。

現在の人類は、人間に喩えて言えば、まだ幼年期にあること、そして、その幼年期が終わるとき何が起こるかを描いた、想像力に満ちた作品である。

また、『資本論』という歴史的著書で知られる、経済学者、哲学者のカール・マルクスは、その著作の中で、「そのとき、人類の前史の時代が終わる」との言葉を遺している。

現在の人類が、資本主義の段階を超え、いかなる社会に向かうかを描いた一節の言葉である。

このクラークとマルクスの未来像、現在の人類が、いまだ「幼年期」にあり、「前史の時代」を歩んでいるという二人の洞察には、筆者は、深い共感を覚えるが、では、いかなる時代を迎えたとき、人類は、その「幼年期」を終えるのか、その「前史の時代」を終えるのかについては、筆者は、二人とは異なったビジョンを抱いている。

そこで、本稿では、筆者のビジョンを語り、読者の自由な想像力と批判に委ねよう。

それは、マルクスの予見のように「資本主義や社会主義」が終焉する時代のことではない。
また、人類が宇宙開発技術を高度に発達させ、「太陽系」を脱する時代のことでもない。
さらには、人工知能が人類の能力を超える「シンギュラリティ」の時代のことでもない。
そして、遺伝子工学と医学の発達により、「不老長寿」が実現する時代のことでもない。

それは、我々人類が、「精神の可能性」を、十全に開花させる時代のことであろう。

実際、大脳生理学の研究によれば、現在の人類は、脳細胞のせいぜい一割程度しか使わずに人生を終えていくという。

また、深層心理学の研究によれば、現在の人類は、心の奥深くに宿る能力の、ごく一部しか開花させることなく、年老いていくという。

それが事実であるならば、もし我々人類が、すべての脳細胞を活用するようになったならば、何が起こるのか。もし我々人類が、心の奥深くに眠る能力を最大限に開花させたならば、何が起こるのか。

実は、その人類の可能性を教えてくれるのが、歴史上、様々な分野で現れ、去っていった「天才」と呼ばれる人々の姿であろう。

例えば、ダ・ビンチ、モーツァルト、空海…。

我々は、これら「天才」と呼ばれる人々の姿を見ると、その人並外れた才能に驚嘆し、称賛するが、一方、心の奥深くで「自分は天才ではないから、あのような才能を発揮することは不可能だ」と思い込んでしまう。

しかし、これら「天才」の驚異的な才能は、実は、我々人類の中に眠る可能性を示している。

我々人類が持つ潜在的能力を顕在化させたとき、いかなる才能が開花するかを教えている。

では、なぜ、その可能性が開花しないのか。その潜在的能力が顕在化しないのか。

その理由は、先ほど述べた我々の意識にある。「自分には不可能だ」という自己限定の強い思い込みにある。それが、我々の能力を抑え込んでしまっている。

例えば、地面に三〇センチ幅の二本の線を引き、この道の上を真っ直ぐ歩くよう、誰かに言えば、健常者なら誰でも、その道を踏み外すことなく歩ける。

しかし、もし、それが、断崖絶壁の上に架けてある三〇センチ幅の丸太橋であったならば、我々は、「落ちたら死ぬ」という恐怖心と、「こんな橋、絶対に渡れない」という自己限定によって、一歩も進めなくなる。恐怖心と自己限定によって、本来持っている能力は、無残なほど委縮してしまい、その力を全く発揮できなくなるのである。

逆に、近年、若い世代のアスリートが、野球、サッカー、ゴルフを始め、世界の舞台で活躍しているのは、技術の向上だけが要因ではない。彼らが、「日本人は、海外では通用しない」という自己限定の意識を持たないことが、大きな要因であろう。

そして、こうした深層意識の自己限定が、我々の能力を委縮させ、その開花を妨げるのは、肉体的な能力だけではない。精神的な能力も同様である。

もし、そうであるならば、我々人類が、子供の頃から自分の可能性を十全に信じることを教えられ、自己限定の意識に抑圧されることなく生きる方法を教えられたならば、何が起こるのか。そして、最先端の深層心理学によって、潜在意識のマネジメント技法を教えられて育ったならば、何が起こるのか。

クラークが『地球幼年期の終わり』の最終章で描いたように、我々大人の世代が、想像を超えた可能性を開花させる子供たちの姿に、驚嘆する時代を迎えるのであろう。

そして、そのとき、人類は、幼年期を脱し、前史の時代に終わりを告げる。

では、そこから幕を開ける「本史の時代」とは、いかなる時代か。

そのビジョンを、いつか、想像力の極みをもって、描いてみたい。

その思いが、七〇歳を越えてなお、筆者を、著作へと駆り立てる。

不運が幸運に転じるとき

科学がどれほど進歩しても、未だに、その存在が証明できないものがある。

それが「運気」と呼ばれるもの。

しかし、それにもかかわらず、我々の多くは、その存在を信じ、ときに運気を占い、ときに運気を高めるために、色々な方法を試してみる。

その方法については、古今東西、多くの書籍が様々な技法を語っているが、では、それらが共通に述べている、良い運気を引き寄せる方法とは何か。

それは、心を「明るい想念」や「前向きな想念」「ポジティブな想念」で満たすことである。

実際、我が国でも、昔から「笑う門には福来る」という諺が語られ、そのことはよく理解されているが、近年、「引き寄せの法則」という言葉とともに、心の中に「ポジティブな想念」を抱くための様々な技法が語られている。いわく、「成功を強く念じる」「成功目標を言葉で語る」「成功イメージを思い描く」などの自己暗示的な技法である。

しかし、一方で、多くの人々が、こうした技法によって心の中に「ポジティブな想念」を抱こうと思っても、なかなか上手くいかないと感じている。

実は、それには、明確な理由がある。

その一つの理由は、我々は誰もが、過去の人生において、家庭内の問題、受験の失敗、就職での挫折、職場での人間関係の軋轢など、多くの「ネガティブな体験」を持っているからである。そのため、その体験が、「自分は駄目だ」「自分は運が悪い」「どうせ上手くいかない」といった「ネガティブな想念」として、心の奥深くに沈積しているからである。

それゆえ、我々が、どれほど心の中にポジティブな想念を抱こうとしても、この沈積したネガティブな想念が、それを打ち消してしまうのであり、そのため、心をポジティブな想念で満たすことができないのである。

従って、もし我々が、本当に良い運気を引き寄せたいと願うならば、まず、人生のネガティブな体験から生まれた心の中のネガティブな想念を消していくことが、不可欠なのである。

では、どうすれば、そのネガティブな想念を消すことができるのか。

そのための具体的な技法については、『運気を磨く』という著書で詳しく述べたが、その要点を一言で述べるならば、ネガティブな想念は、人生というものを「二項対立的」に捉えているかぎり、決して無くならないということである。

すなわち、人生を、幸運と不運、幸福と不幸、成功と失敗、達成と挫折、勝利と敗北といった形で、ポジティブな出来事とネガティブな出来事に分けて考えるかぎり、表面意識でどれほど強く、幸運、幸福、成功、達成、勝利を思い描いても、無意識の世界には、必ず、その対極の、不運、不幸、失敗、挫折、敗北といった想念が生まれるため、心の中のネガティブな想念は、決して消えていかないのである。

では、「二項対立的」ではない捉え方とは何か。

それは、人生のすべての出来事に「深い意味」があると思い定め、その意味を考えることによって、すべての出来事を受け容れ、肯定することである。

実際、人生を深く見つめるならば、幸運と不運、幸福と不幸、成功と失敗、というものは、それほど簡単に分けることはできない。なぜなら、我々の人生においては、しばしば、幸運は「不運な出来事」の姿をしてやってくるからである。

それは、昔から「塞翁が馬」の故事として語られてきたことであり、その機微は、実は、読者の多くが、人生の体験を通じて理解していることであろう。

そして、この「すべてを受け容れ、肯定する」という思想には、さらに深い世界がある。

かつて、実存主義の心理学者、ヴィクトール・フランクルは、ユダヤ人であったため、ナチスによって強制収容所に投獄され、両親と妻を殺され、自身も殺される寸前に奇跡的に生還するという過酷な人生を与えられた。しかし、そうした苛烈な人生体験にもかかわらず、彼は、後年、『それでも人生にイエスと言う』という著書を遺している。

そこには、一つの極限の覚悟がある。

自分の人生が、どれほど逆境や挫折に満ちたものであっても、

それでも、それは、自分だけに与えられた、かけがえの無い人生。

その人生のすべてを肯定し、そのすべてを愛する。

もし我々が、その覚悟を定め、自分の人生を本当に愛することができたならば、人生を二つの価値に分ける言葉、幸運と不運、成功と失敗といった言葉も、自然に消えていく。

そして、そのとき、目の前の人生の一瞬一瞬が、静かに輝き始める。

言葉を超えて伝わるもの

新入社員の頃、直観力に優れた上司に仕えたが、その上司の判断に、深く学ぶ機会があった。

それは、ある技術調査会社が、当社から調査の仕事を得ようと売り込みに来たときのこと。来訪したのは、先方の部長と若手社員。当方は、上司と私が応対し、四人で会議室に入った。

私は、先方の技術調査能力を評価するための質問を準備し、傍らに侍していたが、なぜか、上司は先方の部長との雑談で盛り上がり、瞬く間に予定していた一時間が過ぎてしまった。

すると、この上司、最後に一言、「では、この仕事、よろしく!」と発注を決めてしまった。

エレベータホールで二人を見送った後、その上司は、戸惑う私の心を見透かしたように、こう言った。


「あの会社に発注したら良い! 見たか、あの若い担当者。

あいつ、良い面構えをしていたな。きっと良い仕事をするぞ!」

思わず、先ほどの会議を振り返ると、その若手社員、挨拶以外は、最初から最後まで一言も発しなかったが、目つきも鋭く、何か存在感があった。

そして、この会社に発注した調査業務は、上司の直観通り、その若手社員の仕事によって、満足できる内容のものが届けられた。

このとき、人間同士、言葉を交わさなくとも、面構えだけで、大切なメッセージが伝わるということを学んだ。そして、同時に、自分の面構えが、どのようなメッセージを相手に伝えているかを考え、心掛けるようになった。

コミュニケーション研究においては、言葉で伝わる「言語的メッセージ」よりも、眼差しや表情、仕草や姿勢、雰囲気や空気を通じて伝わる「非言語的メッセージ」の方が、何倍も大きな比重を占めることが明らかにされている。だが、残念ながら、最近のビジネスパーソンの多くは、「言葉をいかに使うか」「資料をどう工夫するか」という次元でのコミュニケーションしか考えない傾向がある。

しかし、そうしたことは、コミュニケーションの技法という意味では、初歩的な段階にすぎない。真のコミュニケーション技法は、その奥にある。

筆者は、この上司の下で九年間、営業プロフェッショナルとしての修業をしたが、顧客に対する話術を学び、資料作成の技術を磨くといった段階を超え、最後にたどり着いた修業は、スキルやノウハウを超えた、「心の置き所」と呼ぶべき世界であった。

それは、例えば、顧客を訪問するとき、ビルの玄関を入る瞬間に、心の中で、その顧客の顔と名前を思い浮かべ、「〇〇さん、有り難うございます。これから貴重な時間を頂きます」と念じることであった。それが、若き日の筆者の修業であった。

この話を聞いて、「そんなことが意味を持つのか」と思う読者がいるかもしれないが、騙されたと思って実践されることを勧める。この習慣は、確実に、営業の場の雰囲気を良きものにしてくれる。なぜなら、営業の場が良い雰囲気にならないとき、その原因の多くは、こちらの心の中にあるからである。

例えば、「売りつけよう」「買わせよう」「思い通りに相手を動かそう」という操作主義や密やかな傲慢さが心の中にあると、それが、そのまま相手に伝わってしまうからである。

どれほど巧みに言葉を操っても、こちらの心の中は、眼差しや表情、仕草や姿勢、雰囲気や空気を通じて、不思議なほど、相手に伝わってしまう。

実は、ビジネスにおいて、一流と二流のプロフェッショナルを分けるのは、そうした心の世界の深みを理解しているか否かに他ならない。

もとより、このことは、社外での商談や交渉だけではない、社内での会議や打合せ、さらには、私的な場でのやり取りにおいても真実である。

だが、昔から、我が国では、「仕事を通じて己を磨く」という言葉が語られてきた。

それは、ときに互いの利害が相反し、エゴとエゴがぶつかる仕事の世界では、自分の心の中の悪しき思いが、恐ろしいほど、相手の無意識に伝わってしまうからであり、自分の心の中の善き思いもまた、相手の心の深くに伝わるからである。

この上司が、ある商談の後、私に、こう語りかけたことがある。

「あのお客様とは、良いご縁を頂いたな…。あの方は、人物だな…」

この言葉を聞いたとき、眼差しや表情、仕草や姿勢といったものさえ超え、心から心へと、直接、深く伝わるものがあるのではないかと、ふと思った。

その思いが、あれから数十年の歳月を経ても、「有り難うございます。これから貴重な時間を頂きます」との修業を続ける理由でもある。

それは、この拙文を読まれる読者に対する思いでもある。

最先端科学と宗教的情操

以前の随想でも触れたが、二〇〇九年一一月、ダライ・ラマ法王一四世と五人の科学者の対話の場に招かれた。

それは「科学と宗教の対話」をテーマに掲げた場であったが、数千人の聴衆を前に、一人の科学者として筆者が語ったのは、「二一世紀、科学こそが、我々の心の中に、最も深い宗教的情操を育んでいく」という予見であった。

こう述べると、読者の中には、「科学と宗教は、本来、対極にあるものではないか」との疑問を抱く方もいるだろう。

しかし、真の宗教的情操とは、「神が存在するか否か」という神学的な問いからではなく、我々が生きるこの世界が、このような姿で存在することへの根源的な不思議さから生まれてくるものであろう。

されば、現代の最先端科学が解き明かしつつある、この世界の起源こそが、その不思議さを呼び起こすものに他ならない。

例えば、現代科学の最先端宇宙論が解き明かしつつある、この宇宙の起源。

それは、文字通り、不思議と驚異に満ちたものである。


この宇宙が誕生したのは、一三八億年前。

では、その前には、何が有ったのか。

何も無かった。

そこには、ただ、「量子真空」（Quantum Vacuum）と呼ばれるものが存在した。

その量子真空が、突如、ゆらぎを生じ、急激な膨張を遂げた。
それが「インフレーション宇宙」と呼ばれるもの。
さらに、その直後、大爆発が生じ、この宇宙が誕生した。
それが「ビッグバン宇宙」と呼ばれるもの。
そして、このビッグバンによって誕生した宇宙は、
当初、「光」（光子：フォトン）で満たされた。
それが徐々に冷え、最初に、最も軽い元素である水素が形成された。
次いで、その水素が互いに重力で引き合って集まり、

何億年もかけて生まれたのが、
夜空に輝く無数の星々、恒星であり、
その一つ、太陽の周りに生まれた惑星が、この地球に他ならない。

これが、現代科学が明らかにしつつある宇宙誕生のプロセスである。

しかし、この理論だけでも、我々は、深淵を覗くような不思議を禁じ得ないが、実は、現代科学の最先端宇宙論は、この「量子真空から生まれた宇宙」という驚愕の考えを超え、さらに、我々の想像を遥かに超えた理論を生み出しつつある。

それが、「パラレル宇宙論」や「マルチバース論」と呼ばれるもの。

これは、我々の生きている宇宙は、量子真空から生まれた無数の宇宙の一つに過ぎず、他にも、数限りない宇宙が存在するという理論。いわば、「ユニバース」ならぬ「マルチバース」が存在するという考えを、最新の宇宙論は提唱するに至っている。

ただし、現代の最先端科学が到達しつつある、この理論の最大の問題は、「この理論の真偽を、我々の生きる宇宙からは確かめようがない」という一点にある。

すなわち、現代科学は、いま、自らの宇宙の起源について、原理的に決して答えることのできない「永遠の問い」の前に立ち尽くしているのである。

だが、この宇宙の起源についての科学理論を聞くとき、宗教的な教義に詳しい読者は、不思議なことに気がつくだろう。

なぜなら、キリスト教の『旧約聖書』、創世記では、初めに「光あれ」という言葉から、この世界が始まったと述べており、仏教の『般若心経』の一節、「色即是空《しきそくぜくう》、空即是色《くうそくぜしき》」は、この現象世界「色」が、すべて「空」から生まれてきたと述べているからである。

もとより、こうした「古代の宗教的教義」と「現代の科学的発見」の不思議な符合を、単なる偶然の一致とするのも、そこに深い意味があるとするのも、読者の世界観に委ねられている。

ただ、現代の最先端科学が語る、この宇宙の起源についての話を聞くとき、我々が、「深遠」と呼ぶべき不思議な感覚に包まれるならば、それは、紛れもなく、我々の心の中に「宗教的情操」が芽生えてくる瞬間であろう。

されば、人類数千年の歴史の歩みを経て、いま我々は、科学と宗教が、表層的な垣根を越え、深い次元で融合していく時代を迎えているのであろう。

人生で起こること、すべて良きこと

ある男性が、海外出張のとき、自動車を運転していて、一瞬の不注意から、瀕死の重傷を負う事故に遭った。

そして、運び込まれた現地の病院での大手術によって、その男性は、九死に一生を得たが、残念ながら、左足を切断する結果になってしまった。

意識が回復し、左足を失ったことを知ったその男性は、一瞬のミスによって迎えた人生の明暗に、ひとり、病院のベッドの上で嘆き悲しんでいた。

しかし、そこに日本から駆けつけてきた、その男性の妻は、病室に入るなり、夫を抱きしめ、何と言ったか。

「あなた、良かったわね！
命は助かった！　右足は残ったじゃない！」

この話は、我々に、大切なことを教えてくれる。

我々の人生の、本当の「分かれ道」は、どこにあるか。

それは、どのような出来事が起こったかに、あるのではない。

起こってしまった出来事を、どう解釈するか。

その解釈にこそ、ある。

いま、書店に並ぶ本や雑誌を見れば、「成功」という文字や、「勝利」という文字が躍っている。「いかにして成功者になるか」や「いかにして勝利者になるか」というメッセージが溢れている。

しかし、人生の真実を、ありのままに見つめるならば、「成功」の陰には、必ず「失敗」があり、「勝利」の陰には、必ず「敗北」がある。

されば、我々の人生において、失敗や敗北、挫折や喪失、そして、病気や事故は、決して避けることはできない。

では、人間の「真の強さ」とは何か。

それは、決して「必ず成功する力」や「必ず勝利する力」のことではない。
人間の「真の強さ」とは、冒頭の話の妻の姿にある。

すなわち、人生において、いかなる出来事があろうとも、その「解釈」を過たない力。
いかに否定的に見える出来事が起ころうとも、それを肯定的に「解釈」する魂の力。
その「解釈力」と呼ぶべき力であろう。

では、いかにすれば、我々は、その「解釈力」を身につけることができるのか。
一つの覚悟を定めることである。

「人生で起こること、すべて深い意味がある」

その覚悟を定め、その意味を考えるという営みを続けるとき、我々は、自然に、人生で与えられた否定的な出来事の中にも、肯定的な意味を見出す力を身につけていく。「解釈力」と呼ぶべき真の強さを身につけていく。

では、どうすれば、その「解釈力」を、揺るぎなきものにできるのか。

そのためには、一つの「信」を定めることである。

「自分の人生は、大いなる何かに、導かれている。
この否定的に見える出来事も、大いなる何かが、
自分を育てようとして与えたものに他ならない」

その「信」を定め、「この出来事は、自分に、何を学べと教えているのか」「この出来事は、自分に、いかなる成長を求めているのか」を考えることである。

もとより、その「大いなる何か」が存在するか否かは、科学では証明できない、永遠の問い。

しかし、過去の歴史を振り返るならば、分野を問わず、優れた仕事を成し遂げてきた人物は、たとえ言葉にせずとも、心中深く、そのことを信じていた。

されば、その「信」を定めて歩み、人生におけるいかなる逆境も「大いなる何か」が自分を成長させるために与えたものと感じられるようになったとき、我々の心には、いつか、次の思いが浮かんでくる。

人生で起こること、すべて良きこと。

思想を紡ぎ出す読書

大学時代、驚異的な多読を誇る友人がいた。

彼は、ほぼ毎日一冊のペースで本を読破し、それも、文学書や啓蒙書だけでなく、専門書や哲学書まで、幅広いジャンルの本を読みこなしていた。

当初、その友人の姿に敬意を抱いていたが、読んだ本について、彼と何度か会話をしていると、残念な気分に包まれた。

それは、彼に本の感想を聞いても、「あの本にはこう書かれていた」「あの著者の主張はこうだった」といった要約的なことや、短い印象コメントしか述べないからであった。

彼の並外れた速読力と膨大な記憶力には敬服したが、どれほど多くの本を読んでも、その読書から「自身の思想」を紡ぎ出すことのない彼の姿には、いささか物足りなさを感じた。

なぜなら、著者の主張をどれほど正確に要約できても、それだけでは、著者の思想を超えることはできないからである。そして、今日では、そうした要約能力は、人工知能の方が、圧倒的に優れた力を発揮するようになっている。

では、読書を通じて「自身の思想」を紡ぎ出すには、いかなる読書法が求められるのか。

もとより、ここで「自身の思想」というのは、過去に語られた様々な思想を学んで比較し、その中から、自分が賛同する思想を語ることではない。

「自身の思想」を持つとは、一つのテーマに対して、様々な知識や叡智が結びついた、自分らしい個性的な「知の生態系」を生み出すことである。

では、いかにすれば、様々な知識や叡智が集まり、個性的に結びついていくのか。

そのためには、「深い問い」を持つことである。

我々の心の中に「深い問い」があれば、それが強い磁石となって、自然に様々な知識や叡智が集まってくる。そして、一つの生態系を生み出していく。

ただし、そのとき大切なことが、二つある。

一つは、「専門の垣根」を超えることである。

例えば、「死とは何か」という深い問いを心に抱いたとする。そのとき、その「死」というものを、様々な専門分野の視点から見つめることである。具体的には、それを「生物学的死」「医学的死」「人格的死」「社会的死」、さらには「人類の死（滅亡）」「宇宙の死（終焉）」といった視点から見つめることである。もし、一つの深い問いを、そうした多様な視点から見つめ、思索を深めるならば、そこには必ず、個性的な「自身の思想」が生まれてくる。

もう一つは、「ジャンルの垣根」を超えることである。

すなわち、「死とは何か」について考えるとき、「専門書で語られた死」「文学で語られた死」「映画で語られた死」「漫画で語られた死」などを区別せず、重層的な視点で見つめ、思索することである。例えば、多くの人々の看取りを行ったエリザベス・キューブラー・ロスの専門書、『死ぬ瞬間（On Death and Dying）』や『続・死ぬ瞬間（Death: The Final Stage of Growth）』を読むならば、「死」とは「成長の最後の段階」なのかとの驚きとともに、本当に死後の世界が存在するのかとの深い問いを抱くだろう。

また、吉川英治文学賞を受賞した伊藤桂一の小説、『静かなノモンハン』を読むならば、「死ぬ」ということの冷厳な現実を教えられる。この小説は、戦地において銃で腹を撃たれて死ぬことが、どれほど凄惨な苦しみであるかを、淡々とした筆致で描いているからである。

そして、アカデミー賞を受賞した映画、『カッコーの巣の上で』を観るならば、脳の手術、ロボトミーを施されることが、「医学的死」は免れても「人格的死」を迎えることであり、その「死」こそが人間にとって本当の「死」ではないのかという問いを、我々に投げかけてくる。

さらに、手塚治虫の金字塔的漫画、『火の鳥』を読むならば、「永遠の命」を与えられた主人公が、最後に「殺してくれ！」と叫ぶ姿に、「死」とは、実は「安らぎ」ではないのかとの思いを抱く。


こう述べてくると、現代の「教養主義」の問題が見えてくるだろう。

ただ、様々な分野の書物を数多く読み、該博な知識を身につけることが、教養ではない。

何よりも、自身の中に、容易に答えの得られない「深い問い」を抱くこと。

なぜなら、その「答えの無い問い」を問う力こそが、真の「知性」であり、その「知性」の周りには、自然に、個性的な「知の生態系」が生まれてくるからである。

されば、その「深い知性」に支えられたものこそ、「真の教養」に他ならない。

謝辞

最初に、光文社書籍事業局長の三宅貴久さんに、感謝します。
三宅さんとは、『知性を磨く』『人間を磨く』『運気を磨く』と、
これまで三冊の「磨く」シリーズを重ねてきましたが、
この『教養を磨く』で、四冊目となります。
来年一月には、『才能を磨く』の上梓を予定していますので、
それで「五部シリーズ」の完結です。
いつもながら、心のこもった、細やかな編集を、有り難うございます。

また、本書に収録された七五篇の随想の連載を支えて頂いた、
「Forbes JAPAN」編集長の藤吉雅春さんに、感謝します。

さらに、国際社会経済研究所の理事長の藤沢久美さんに、感謝します。
藤沢さんの新天地への飛躍が、機縁となって、
シンクタンク・ソフィアバンクも、小生も、大きな飛躍の時代を迎えました。

そして、いつも、様々な形で執筆を支えてくれる家族、
須美子、誓野、友に、感謝します。
昨年末から、この夏にかけての激動の時期を、
献身的に支えて頂きました。
お陰で、七二歳を越えて与えられた、この使命の道を、
覚悟を定め、歩めます。

最後に、すでに他界した父母に、本書を捧げます。
この日本と世界に、二一世紀の「新たな学びの場」を創るという使命。
これも、遠くから、お二人が導いて下さったものと思います。
人生を終える、その最期の一瞬まで、使命の道を歩む。
それは、お二人が、後姿で教えて下さった、生き方です。
天が与えた、この使命の道を、感謝を胸に歩みます。

二〇二三年六月二日

田坂広志

さらに学びを深めたい読者のために

― 自著による読書案内 ―

本書『教養を磨く』は、これまで筆者が上梓してきた、『知性を磨く』『人間を磨く』『運気を磨く』『直観を磨く』『能力を磨く』に続く、「磨く」シリーズの六冊目である。

以下に、それぞれの著書の紹介をさせて頂くので、さらなる人間成長を求める読者は、これらの五冊を読まれることを勧めたい。

『知性を磨く』（光文社新書）

真の「知性」とは、「知能」とも「知識」とも、全く違ったもの。

それは、「目の前の現実を変革する力」のこと。それゆえ、真の「知性」とは、思想、ビジョン、志、戦略、戦術、技術、人間力という「七つの知性」を、垂直統合したもの。

本書においては、この「七つの知性」とは、それぞれ、どのようなものか、どのようにすれば、それらの知性を身につけることができるのかを語った。

『人間を磨く』（光文社新書）

様々な古典や宗教書を読むだけでは、人間を磨き、真の「人間力」を身につけることはできない。その最高の修行の場は、日々の仕事と生活の中にある。

本書においては、その修行のための、次の「七つの技法」を語った。

第一　心の中で自分の非を認める
第二　自分から声をかけ、目を合わせる
第三　心の中の「小さなエゴ」を見つめる
第四　その相手を好きになろうと思う
第五　言葉の怖さを知り、言葉の力を活かす
第六　別れても心の関係を絶たない
第七　その出会いの意味を深く考える

これらの「こころの技法」を実践するだけで、不思議なほど、人間関係が好転する。

『運気を磨く』（光文社新書）

これまでの「運気論」は、いずれも、「ポジティブな想念を持てば、良い運気を引き寄せる」と語っているが、実は、心の無意識の世界まで「ポジティブな想念」で満たすことは極めて難しい。その理由は、「心の双極性」という厄介な性質にあるが、本書においては、この厄介な問題を超え、無意識の世界を含めて、心を「ポジティブな想念」で満たすための技法として、次の三つの「こころの技法」を語っている。

第一　「無意識のネガティブな想念」を浄化していく技法
第二　「人生でのネガティブな体験」を陽転していく技法
第三　「究極のポジティブな人生観」を体得していく技法

『直観を磨く』（講談社現代新書）

本書においては、深く考えるための「七つの思考法」として、
第一　問題の「循環構造」を俯瞰しながら考える
第二　問題の「矛盾」を解決しようとしないで考える

第三　橋のデザインを考えるのではなく、河の渡り方を考える
第四　専門知識で考えるのではなく、専門知識を横断して考える
第五　本で読んだ知識ではなく、体験から掴んだ智恵で考える
第六　自分の中に複数の人格を育て、人格を切り替えながら考える
第七　心の奥の「賢明なもう一人の自分」と対話しながら考える
を語っているが、これらの技法を実践するだけで、自然に「直観力」が高まっていく。

『能力を磨く』（ＰＨＰ文庫）

現在、急速に進む人工知能革命の結果、人工知能が圧倒的に優れた能力を発揮する「知識の記憶力」と「論理的思考力」だけで仕事をしている人材は、必ず、淘汰されてしまう。これからの時代、人間だけが発揮できる優れた能力は、「技能の修得力」と「感覚的判断力」であり、こうした能力を軸とした「職業的能力」「対人的能力」「組織的能力」を磨いていく必要がある。本書においては、これらの能力の磨き方を詳しく語った。

『才能を磨く』（光文社新書／二〇二四年一月上梓予定）

「人生」を語る

『未来を拓く君たちへ』（ＰＨＰ研究所）
『いかに生きるか』（ソフトバンク・クリエイティブ）
『人生の成功とは何か』（ＰＨＰ研究所）
『人生で起こること　すべて良きこと』（ＰＨＰ研究所）
『逆境を越える「こころの技法」』（ＰＨＰ研究所）
『すべては導かれている』（ＰＨＰ研究所）
『運気を磨く』（光文社）
『運気を引き寄せるリーダー　七つの心得』（光文社）

「仕事」を語る

『仕事の思想』（ＰＨＰ研究所）
『なぜ、働くのか』（ＰＨＰ研究所）
『仕事の報酬とは何か』（ＰＨＰ研究所）

「成長」を語る

『知性を磨く』（光文社）　『人間を磨く』（光文社）
『直観を磨く』（講談社）　『能力を磨く』（ＰＨＰ研究所）
『成長の技法』（ＰＨＰ研究所）
『人は、誰もが「多重人格」』（光文社）
『なぜ、優秀な人ほど成長が止まるのか』（ダイヤモンド社）
『成長し続けるための77の言葉』（ＰＨＰ研究所）
『知的プロフェッショナルへの戦略』（講談社）
『プロフェッショナル進化論』（ＰＨＰ研究所）

「技法」を語る

『なぜ、時間を生かせないのか』（ＰＨＰ研究所）
『仕事の技法』（講談社）　『意思決定12の心得』（ＰＨＰ研究所）
『経営者が語るべき「言霊」とは何か』（東洋経済新報社）
『ダボス会議に見る世界のトップリーダーの話術』（東洋経済新報社）
『企画力』（ＰＨＰ研究所）　『営業力』（ダイヤモンド社）

主要著書

「思想」を語る

『死は存在しない』（光文社）
『生命論パラダイムの時代』（ダイヤモンド社）
『まず、世界観を変えよ』（英治出版）
『複雑系の知』（講談社）
『ガイアの思想』（生産性出版）
『使える弁証法』（東洋経済新報社）
『自分であり続けるために』（ＰＨＰ研究所）
『叡智の風』（ＩＢＣパブリッシング）
『深く考える力』（ＰＨＰ研究所）

「未来」を語る

『田坂広志　人類の未来を語る』（光文社）
『未来を予見する「５つの法則」』（光文社）
『目に見えない資本主義』（東洋経済新報社）
『これから何が起こるのか』（ＰＨＰ研究所）
『これから知識社会で何が起こるのか』（東洋経済新報社）
『これから日本市場で何が起こるのか』（東洋経済新報社）

「経営」を語る

『複雑系の経営』（東洋経済新報社）
『「暗黙知」の経営』（徳間書店）
『なぜ、マネジメントが壁に突き当たるのか』（ＰＨＰ研究所）
『なぜ、我々はマネジメントの道を歩むのか』（ＰＨＰ研究所）
『こころのマネジメント』（東洋経済新報社）
『ひとりのメールが職場を変える』（英治出版）
『まず、戦略思考を変えよ』（ダイヤモンド社）
『これから市場戦略はどう変わるのか』（ダイヤモンド社）
『官邸から見た原発事故の真実』（光文社）
『田坂教授、教えてください。これから原発は、どうなるのですか？』
（東洋経済新報社）

著者情報

田坂塾への入塾

思想、ビジョン、志、戦略、戦術、技術、人間力という
「7つの知性」を垂直統合した
「21世紀の変革リーダー」への成長をめざす場
「田坂塾」への入塾を希望される方は
下記のサイトへ

http://hiroshitasaka.jp/tasakajuku/
(「田坂塾」で検索を)

田坂塾大学への訪問

田坂広志の過去の著作や著書、講演や講話をアーカイブした
「田坂塾大学」は、広く一般に公開されています
訪問は、下記より

http://hiroshitasaka.jp/college/
(「田坂塾大学」で検索を)

「風の便り」の配信

著者の定期メール「風の便り」の配信を希望される方は
下記「未来からの風フォーラム」のサイトへ

http://hiroshitasaka.jp/
(「未来からの風」で検索を)

講演やラジオ番組の視聴

著者の講演やラジオ番組を視聴されたい方は
「田坂広志　公式チャンネル」のサイトへ
(「田坂広志　YouTube」で検索を)

著者略歴

田坂広志（たさかひろし）

1951年生まれ。1974年、東京大学工学部卒業。
1981年、東京大学大学院修了。工学博士（原子力工学）。
同年、民間企業入社。
1987年、米国シンクタンク、バテル記念研究所客員研究員。
同年、米国パシフィック・ノースウェスト国立研究所客員研究員。
1990年、日本総合研究所の設立に参画。
10年間に、延べ702社とともに、20の異業種コンソーシアムを設立。
ベンチャー企業育成と新事業開発を通じて
民間主導による新産業創造に取り組む。
取締役・創発戦略センター所長等を歴任。現在、同研究所フェロー。
2000年、多摩大学大学院教授に就任。社会起業家論を開講。現名誉教授。
同年、21世紀の知のパラダイム転換をめざす
シンクタンク・ソフィアバンクを設立。代表に就任。
2005年、米国ジャパン・ソサエティより、日米イノベーターに選ばれる。
2008年、ダボス会議を主催する世界経済フォーラムの
Global Agenda Councilのメンバーに就任。
2009年より、ＴＥＤメンバーとして、毎年、ＴＥＤ会議に出席。
2010年、ダライ・ラマ法王14世、デズモンド・ツツ元大主教、
ムハマド・ユヌス博士、ミハイル・ゴルバチョフ元大統領ら、
４人のノーベル平和賞受賞者が名誉会員を務める
世界賢人会議・ブダペストクラブの日本代表に就任。
2011年、東日本大震災と福島原発事故に伴い、内閣官房参与に就任。
2013年、思想、ビジョン、志、戦略、戦術、技術、人間力という
「７つの知性」を垂直統合した
「21世紀の変革リーダー」への成長をめざす場、「田坂塾」を開塾。
現在、全国から7800名を超える経営者やリーダーが集まっている。
2021年、田坂広志の過去の著作や著書、講演や講話をアーカイブした
「田坂塾大学」を開学。広く一般に公開している。
2023年、学校法人「21世紀アカデメイア」学長就任。
海外でも旺盛な出版と講演の活動を行っている。

本書をお読み頂き、
有り難うございました。
このご縁に感謝いたします。

お時間があれば、
本書の感想や著者へのメッセージを、
お送り頂ければ幸いです。

下記のＱＲコードから、
メッセージを、お送りください。

毎日、数多くの読者の方々から
メッセージを頂きますので、
すべての方に返信は差し上げられませんが、
小生が、直接、拝読いたします。

田坂広志　拝

本書に収録された75篇の随想は、
雑誌「Forbes JAPAN」に連載されたものに、
加筆、修正を加えたものです。

田坂広志（たさかひろし）

1951年生まれ。1974年東京大学卒業。1981年同大学院修了。工学博士（原子力工学）。1987年米国シンクタンク・バテル記念研究所客員研究員。1990年日本総合研究所の設立に参画。取締役等を歴任。2000年多摩大学大学院の教授に就任。現名誉教授。同年シンクタンク・ソフィアバンクを設立。代表に就任。2005年米国ジャパン・ソサエティより、日米イノベーターに選ばれる。2008年世界経済フォーラム（ダボス会議）のGlobal Agenda Councilのメンバーに就任。2010年世界賢人会議ブダペスト・クラブの日本代表に就任。2011年東日本大震災に伴い内閣官房参与に就任。2013年全国から7800名の経営者やリーダーが集まり「21世紀の変革リーダー」への成長をめざす場「田坂塾」を開塾。著書は100冊余。

教養《きょうよう》を磨《みが》く　宇宙論《うちゅうろん》、歴史観《れきしかん》から、話術《わじゅつ》、人間力《にんげんりょく》まで

2023年7月30日初版1刷発行
2023年9月15日　　4刷発行

著　者 ―― 田坂広志

発行者 ―― 三宅貴久

装　幀 ―― アラン・チャン

印刷所 ―― 堀内印刷

製本所 ―― ナショナル製本

発行所 ―― 株式会社光文社
東京都文京区音羽1-16-6（〒112-8011）
https://www.kobunsha.com/

電　話 ―― 編集部03(5395)8289 書籍販売部03(5395)8116
業務部03(5395)8125

メール ―― sinsyo@kobunsha.com

ISBN 978-4-334-04670-5

1252
再考 ファスト風土化する日本
変貌する地方と郊外の未来
三浦展

全国各地のロードサイドに同じような商業施設が建ち並ぶ「ファスト風土化」によって、郊外とそこに暮らす人々の意識はどう変わったか。小説家、建築家、研究者ら13名の論考を収録。

978-4-334-04659-0

1253
コミュ力は「副詞」で決まる
石黒圭

「めっちゃ」「やっぱり」「じつは」「なるほど」「せっかく」「あいにく」「おかげさまで」… etc. 気持ちを効果的に伝える最強の助っ人「副詞」、その分類と機能を知り、使い方の勘所を学ぶ。

978-4-334-04660-6

1254
阪神タイガースはなんで優勝でけへんのや？
喜瀬雅則

歴史　看板　風土　戦略　育成　苦悩　誤解　派閥　そして「アレ」――9つの枠組で分析する優勝が遠のく理由。阪神ファンの元番記者だから書けた「新・阪神タイガース論」。

978-4-334-04661-3

1255
定年前と定年後の働き方
サードエイジを生きる思考
石山恒貴

定年前と定年後の働き方は、個人の思考ひとつで大きく変わる――。この時期を、どう働き、どう過ごし、どう生きるのか。幸福な働き方を実現する思考法を、研究理論と実例から探る。

978-4-334-04662-0

1256
編集者の読書論
面白い本の見つけ方、教えます
駒井稔

古典新訳文庫創刊編集長が綴《つづ》る気取らぬ読書論。話題は海外の書店や出版社、作家、歴史的人物、古典、短編、児童書へと縦横無尽に広がり、未読の本の存在にわくわくすること間違いなし！

978-4-334-04663-7

光文社新書

1257
超遺伝子《スーパージーン》
藤原晴彦

生き物の不思議を司る超遺伝子。メスの一部だけが擬態するナガサキアゲハなど、ダーウィンとウォレスが残した謎を解き明かして見えてきた、遺伝学の新たなフロンティアに迫る。

978-4-334-04664-4

1258
理想の職場マネージメント
一軍監督の仕事
高津臣吾

個性豊かな選手がひとつの方向を向くチームをつくるには？ セ・リーグ連覇、交流戦優勝、ゆとりローテーション、言葉の力——球界に革新を起こす名将が自らのマネージメント手法を語る。

978-4-334-04665-1

1259
参議院
倉山満

参議院を制する者が日本の政治を制する——。参議院とはいかなる存在なのか。誕生の背景から歴代政権のスタンス、そして現代日本政治まで、憲法学、政治学、歴史学の視点で検証。

978-4-334-04666-8

1260
東大生のジレンマ
エリートと最高学府の変容
中村正史

急増する休学者に、急進的な起業志向——保守的なはずの東大で、あえて「レール」を踏み外す学生が増えている理由とは？ 激変する東大と東大生の「今」を、当事者たちの声が浮き彫りにする。

978-4-334-04667-5

1261
宇宙・0・無限大
谷口義明

私たちの想像が及ばないほど広大な宇宙は無限の大きさを持つのか。また、この宇宙に0となる物理量は存在するのか。シンプルながらも深遠な問いに天文学者が果敢に挑む一冊。

978-4-334-04668-2

光文社新書

1262
世界視点で読む 企業戦略とアート
上坂真人

なぜ世界のトップ企業は事業としてアートに投資するのか。日本には何が欠けているのか。ビジネスとしてのアートの役割と活用法を、豊富な事例とデータから分析・提言する。

978-4-334-04669-9

1263
教養を磨く 宇宙論、歴史観から、話術、人間力まで
田坂広志

哲学の究極の問い／「運命」とは何か／「人生百年時代」の覚悟／「死」とは何か／二一世紀の「利他主義」――教養とは答えの無い問いを問い続ける力。21世紀の「新たな教養」論。

978-4-334-04670-5

1264
戦時下のウクライナを歩く
岡野直

突如始まったロシアによるウクライナ侵攻。破壊された街で、失われた日常に、そこに生きる人たちは何を思うのか。ジャーナリストが歩いて、見て、聞いた、市民による〝戦い〟の記録。

978-4-334-04671-2

1265
アフガニスタンの素顔 「文明の十字路」の肖像
青木健太

カブール陥落から2年――タリバン統治の実態は？ 女性の権利は？ 和平実現への道筋は？ そして日本が果たすべき役割は？ 激変するアフガニスタン社会を広く深くリポート。

978-4-334-04672-9

1266
生理痛は病気です
邱紅梅

「我慢してやり過ごす」はNG！ 日本女性の生理が社会の犠牲になっていること、その先に待ち受けるリスクを解説。原因を根本から解決する「養生」の方法を中医学をベースに伝える。

978-4-334-04673-6